LA TRAVERSÉE DE LA VILLE

DU MÊME AUTEUR

ROMANS, RÉCITS ET CONTES

Contes pour buveurs attardés, Éditions du Jour, 1966; BQ, 1996.

La cité dans l'œuf, Éditions du Jour, 1969; BQ, 1997.

C't'à ton tour, Laura Cadieux, Éditions du Jour, 1973; BQ, 1997.

Le cœur découvert, Leméac, 1986; Babel, 1995.

Les vues animées, Leméac, 1990; Babel, 1999.

Douze coups de théâtre, Leméac, 1992; Babel, 1997.

Le cœur éclaté, Leméac, 1993; Babel, 1995.

Un ange cornu avec des ailes de tôle, Leméac/Actes Sud, 1994; Babel, 1996.

La nuit des princes charmants, Leméac/Actes Sud, 1995; Babel, 2000; Babel J, 2006.

Quarante-quatre minutes, quarante-quatre secondes, Leméac/Actes Sud, 1997.

Hotel Bristol, New York, N.Y., Leméac/Actes Sud, 1999.

L'homme qui entendait siffler une bouilloire, Leméac/Actes Sud, 2001.

Bonbons assortis, Leméac/Actes Sud, 2002.

Le cahier noir, Leméac/Actes Sud, 2003.

Le cahier rouge, Leméac/Actes Sud, 2004.

Le cahier bleu, Leméac/Actes Sud, 2005.

Le gay savoir, Leméac/Actes Sud, coll. «Thesaurus», 2005.

Le trou dans le mur, Leméac/Actes Sud, 2006.

La traversée du continent, Leméac/Actes Sud, 2007.

CHRONIQUES DU PLATEAU-MONT-ROYAL

La grosse femme d'à côté est enceinte, Leméac, 1978; Babel, 1995.

Thérèse et Pierrette à l'école des Saints-Anges, Leméac, 1980; Grasset, 1983; Babel, 1995.

La duchesse et le roturier, Leméac, 1982; Grasset, 1984; BQ, 1992.

Des nouvelles d'Édouard, Leméac, 1984; Babel, 1997.

Le premier quartier de la lune, Leméac, 1989; Babel, 1999.

Un objet de beauté, Leméac/Actes Sud, 1997.

Chroniques du Plateau-Mont-Royal, Leméac/Actes Sud, coll. «Thesaurus», 2000.

MICHEL TREMBLAY

La Diaspora des Desrosiers

II

LA TRAVERSÉE DE LA VILLE

roman

LEMÉAC / ACTES SUD

Leméac Éditeur remercie le ministère du Patrimoine canadien, le Conseil des arts du Canada, la Société de développement des entreprises culturelles du Québec (SODEC) et le Programme de crédit d'impôt pour l'édition de livres du Québec (Gestion SODEC) du soutien accordé à son programme de publication.

© LEMÉAC ÉDITEUR, 2008
ISBN 978-2-7609-2829-9

© ACTES SUD, 2008
pour la France, la Belgique et la Suisse
ISBN 978-2-7427-8164-5

Encore une fois, les noms sont vrais,
mais tout ce qui les entoure est pure spéculation.

M. T.

Rendez-moi mon bien, dieux du Tartare!

Alessandro Striggio
L'Orfeo de Claudio Monteverdi

Pour Lily, Kim et Théo,
dans l'espoir qu'ils liront un jour ce livre.

PRÉLUDE

Providence, Rhode Island – octobre 1912

Le matin où elle s'est rendu compte qu'elle était sans doute enceinte pour une quatrième fois, Maria Rathier n'est pas rentrée travailler à la manufacture de coton Nicholson File où elle gagnait – à peine – sa vie depuis près de cinq ans. Elle est sortie de chez elle, elle a traversé toute la ville en empruntant Dorrance Street comme chaque jour, mais elle est passée tout droit devant la factrie de brique rouge enveloppée de poussière de coton et elle est allée s'asseoir au bord de la Providence River sur le banc même où, autrefois, Simon l'avait demandée en mariage.

Simon était porté disparu en mer depuis des années. Elle l'espérait mort parce que ce n'était pas un homme très respectable. Sa famille à lui, le clan Rathier, des Français installés dans le Rhode Island depuis la fin de la guerre civile, espérait encore le voir revenir, toujours aussi drôle, aussi ratoureux, mais Maria savait que s'il n'était pas mort, il avait sans doute recommencé sa vie quelque part plus au sud, en Virginie peut-être, où il lui avait avoué un jour avoir des «relations», ce qui signifiait une autre femme ou d'autres femmes. Peut-être bien une deuxième famille. Tant mieux pour lui. Et pour elle. Elle avait aimé un homme qui n'existait pas, un personnage fabriqué de toutes pièces dans le but de la séduire, de l'enfermer entre quatre murs avec ses enfants pendant que lui, le marin au long cours, l'aventurier, l'homme des mers, semait à tout vent en se tapant sur les cuisses quand il croyait avoir lancé un bon mot. Et en mâchonnant sa pipe en écume de mer comme un vieux loup, ses yeux bleus fixés sur l'horizon et ses belles rides plissées par son irritant sourire d'homme sûr de lui, de petit conquérant de province. Il avait eu besoin à la fois d'un nid où déposer ses œufs et du vaste monde pour se sentir libre. Quitte ensuite à choisir de façon définitive le vaste monde. Surtout la liberté.

Quand elle avait compris qu'il ne reviendrait pas, Maria avait senti non pas du bonheur mais un étrange sentiment de soulagement qui n'était pas sans rappeler le défaitisme naturel de sa famille à elle, les Desrosiers de Saskatchewan, là-bas, au nord, à l'ouest, à l'autre bout du continent, des Cris au courage certain mais frappés d'une sorte de mélancolie qui les portait au fatalisme et à l'acceptation du malheur qu'ils croyaient inévitable et irréductible. À son grand regret, cependant, elle avait dû se séparer de ses trois fillettes qu'elle avait envoyées en Saskatchewan, chez sa mère, parce qu'elle ne pouvait pas subvenir à leurs besoins et que les Rathier, aussi tricotés serré fussent-ils en apparence, refusaient de lui venir en aide. Ce qui, pour elle, avait été la preuve qu'ils n'attendaient pas du tout le retour de Simon, que tout ça, cet espoir trop affiché, cet optimisme à tout crin, n'était qu'un écran de fumée pour cacher leur soulagement à eux parce que Simon, en fin de compte, n'avait pas été plus généreux avec eux qu'avec elle, qu'il les avait tannés eux aussi, à la longue, et que son absence leur pesait moins qu'ils ne le prétendaient. Ses enfants partis, elle avait cru mourir de chagrin, mais elle avait tenu le coup en se promettant qu'elle les ferait revenir un jour, qu'elles seraient heureuses, toutes les quatre, ici, à Providence, ou bien de retour au Canada, mais pas en Saskatchewan, surtout pas dans ce petit village perdu appelé Maria qui l'avait vue naître et où elle s'était sentie si à l'étroit. Elle ne l'avait pas quitté sur un coup de tête en vitupérant pour revenir vingt ans plus tard la tête basse et le dos rond. Non, peut-être à Montréal. Ou à Québec. En tout cas là où l'on parlait français, même ce langage tout croche, issu du mélange de vieux français hérité des colons du dix-septième siècle et de l'anglais désormais omniprésent en Amérique du Nord, ce parler qui l'amusait tant, autrefois, quand des visiteurs du Québec, forts en gueule et au langage si coloré, venaient visiter les Desrosiers en Saskatchewan. (Ici aussi, à Providence, on parlait français. Mais de moins en moins. Même les Rathier, qui essayaient d'imiter l'accent de la Nouvelle-Angleterre et qui disaient *Baston* et *tomâto*. On était aux États-Unis et on faisait tout pour vivre en Américains : les Tremblay devenaient peu à peu des Tremble, les Dubuc des Dubuque et les Desrosiers des Desrogers, la nouvelle génération cassait le français et on entendait de plus en plus parler anglais dans les maisons où, pourtant, les femmes avaient décidé en venant s'installer ici que leur langue prédominerait.) Oui, elle allait reprendre ses filles, émigrer, retrouver son nom de Desrosiers et oublier ses dix années passées dans une manufacture où les employés étaient traités en esclaves dans un pays hypocrite qui prônait la liberté tout en imposant le contraire aux ouvriers.

Mais après des années de veuvage volontaire et une série de dépressions dont elle avait eu de la difficulté à se sortir, elle autrefois si joyeuse, si vive, elle avait rencontré ce monsieur Rambert, un homme gentil, délicat, doux, un gentleman plus vieux qu'elle qui la respectait et qui en prenait soin au lieu de la traiter comme Simon l'avait fait. Elle avait quelque peu repris goût à la vie, sa bonne humeur était revenue, elle avait même commencé à envisager une possibilité d'avenir avec lui et ses trois filles même s'il avait presque l'âge d'être leur grand-père, et voilà que le destin se retournait encore une fois contre elle. Monsieur Rambert – elle ne l'appelait jamais par son prénom – n'avait pas parlé d'avoir un enfant avec elle ni de l'épouser, ne lui promettant rien d'autre que sa protection et sa tendresse, alors comment prendrait-il cette nouvelle? Elle avait enduré les insultes de la famille de son mari qui se doutait bien qu'elle ne se contentait pas de faire des sorties avec lui, que leur relation était «coupable» alors que son mari n'avait pas été déclaré mort de façon officielle, elle avait rougi sous le regard de ses voisins quand le vieux monsieur était venu sonner à son petit appartement de la rue Fountain, elle avait même baissé la tête, elle d'habitude si frondeuse, quand les femmes du quartier l'avaient traitée de guidoune. Irait-elle jusqu'à s'afficher enceinte au su et au vu de tous sans être passée devant l'autel de la petite église de paroisse qu'elle ne fréquentait pas? Et lui, allait-il l'abandonner aussitôt qu'elle lui avouerait qu'elle attendait un enfant de lui, comme dans les mauvais feuilletons français que les femmes se passaient sous le manteau parce qu'ils avaient la réputation d'être des romans scandaleux et dont elles se délectaient avec un plaisir coupable en se cachant de leurs maris et de leurs enfants? Une victime, encore? Conspuée et isolée à l'intérieur d'une communauté déjà conspuée et isolée? Elle était arrivée ici en chantant, douze ans plus tôt, l'espoir au cœur, enfin libre après une enfance nourrie d'ignorance au fond d'une province où régnait la médiocrité, et elle se retrouvait là, après tant d'efforts pour essayer d'être un peu heureuse, affalée sur un banc de parc, désemparée et confuse, désarmée devant cette injustice flagrante – ce bébé indésirable – qui allait changer le cours de sa vie.

Elle a pleuré sur son banc, elle a insulté le destin, elle s'est promenée de long en large sur la rive en faisant de grands gestes et en se parlant à voix haute, elle s'est traitée de tous les noms, a maudit les maudits hommes par qui tous les malheurs arrivent tout le temps, puis s'est écroulée à nouveau sur le banc de bois, nauséeuse, un début de migraine lui vrillant le front.

C'était la fin de l'été des Indiens. Il avait fait très chaud depuis trois jours, l'automne avait été coupé en deux par des bouffées de vent presque brûlant venu du sud, la Nouvelle-Angleterre avait explosé en ors, en rouges, en jaunes, même la rivière Providence avait semblé moins froide ; quelques malicieux s'y étaient même risqués pendant l'après-midi du dimanche précédent en poussant des cris d'horreur sous le regard hilare des badauds. Dans quelques heures le vent allait changer, les nuages chargeraient de l'ouest, les feuilles se mettraient à tomber, virevoltantes, en pluie de couleur. La dernière semaine d'octobre, avait-on annoncé dans les journaux, marquerait la mort définitive de toute espérance de beau temps et on promettait un novembre gris, froid, pluvieux.

Déjà, un avant-goût de fraîcheur courait sur la peau et Maria, sentant un frisson venir, a eu l'impression qu'elle risquait d'attraper un rhume ou une grippe si elle restait là trop longtemps. Mais où aller ? Il n'était pas question qu'elle se rende à son travail, et rentrer chez elle la déprimait presque autant. Elle a attaché sa veste de laine, elle a fourré ses mains dans ses poches, allongé les jambes sur le gravier du sentier qui longeait la berge.

Juste en face, sur l'autre rive de la Providence qui coupait la ville en deux, on achevait la construction de la Brown University dont on annonçait l'ouverture pour l'année suivante. Un chantier énorme, une fourmilière bruyante de terrassiers, de jardiniers, de peintres, qui mettaient la dernière main au temple du savoir érigé juste en face des temples du négoce, manufactures de coton, de machinerie de toute sorte, d'argenterie, où suaient chaque jour des dizaines de milliers d'ouvriers mal payés comme elle. Maria les a regardés travailler en essayant de ne penser à rien, de faire le vide, d'utiliser ce truc qu'elle appelait «regarder ailleurs» qui consiste à faire abstraction de tout ce qui va mal, d'oublier la douleur ou le chagrin, et qui lui avait été si souvent utile. Elle a vite compris cependant que, cette fois, ça ne marchait pas. Comment oublier en effet ce sentiment de terreur, ce début de panique, la raison, surtout, de son désarroi, cette situation impossible dans laquelle elle se retrouvait tout à coup plongée et dont elle ne voyait pas comment elle pourrait se sortir?

À moins que...

C'est à ça qu'elle a voulu éviter de penser depuis quelques heures, elle le sait, ça lui tournait au fond de la tête, ça voulait monter à la surface de sa conscience et elle a tout fait pour ne pas y faire face parce qu'elle ne veut pas devenir une meurtrière.

Oui, il y a bien madame Bergeron qui pourrait l'aider.

La faiseuse d'anges.

Des tas d'histoires toutes plus horribles les unes que les autres courent à son sujet à travers le quartier; on parle de boucherie, d'aiguilles à tricoter ensanglantées, de femmes blafardes, pliées en deux, qui sortent de chez elle en lançant des cris de folles et en se tenant le ventre à deux mains; on parle d'une grosse madame laide et sadique, peut-être même une criminelle, qui se servirait de son statut de faiseuse d'anges pour punir à sa façon celles qui ont péché. On dit qu'elle est une descendante des fameuses sorcières de Salem – Salem, après tout, n'est pas très loin –, d'aucuns sont même allés jusqu'à prétendre l'avoir vue marcher dans Dorrance Street au milieu de la nuit en traînant un balai derrière elle. Ils n'ont pas osé dire l'avoir vue sillonner le ciel en caquetant comme une corneille, mais les implications étaient claires et les femmes qui se retrouvent enceintes sans l'avoir voulu réfléchissent de plus en plus longtemps avant de recourir à ses services.

Maria a posé la main sur son ventre et l'image qui la tue à petit feu depuis tant d'années lui est revenue : ses trois enfants – Rhéauna, Béa, Alice – qui lui font un triste au revoir de la main à travers la vitre baissée d'un wagon de train en partance pour un voyage qui allait les emmener à l'autre bout du monde, dans ce village qu'elle a quitté en se jurant de ne jamais y revenir et où elle s'est vue obligée d'envoyer sa progéniture. À cause de la pauvreté. Du destin. De la maudite *bad luck* qui semble la poursuivre partout quoi qu'elle tente pour essayer d'avoir une vie endurable, sinon normale. C'est imprimé dans sa tête comme une vieille photo jaunie et les visages bouleversés de ses filles lui déchirent le cœur.

Regarder ailleurs, encore une fois? Faire comme si tout ça n'existait pas, ni le passé irrévocable, ni le présent sans issue apparente ; relever la tête et rire? Relever la tête, peut-être, mais rire?

Un petit frisson.

Elle s'est redressée en se frottant les bras. Les ouvriers, sur l'autre rive, ont remis leurs chemises malgré la transpiration qui les recouvre parce qu'ils savent que la fin de l'été des Indiens est hypocrite et qu'un coup de mort est vite attrapé. Tiens, c'est peut-être ça la solution : un coup de mort. Une belle grosse pneumonie qui réglerait tout. Elle s'est appuyée sur la rambarde qui court le long de la berge, elle a appuyé la tête sur la main courante. Une nausée l'a tenue là pendant quelques minutes. Une pneumonie, cependant, tuerait deux personnes. Là, tout de suite, en ce moment même, elle aurait bien accepté de mourir, pour oublier, mais la petite chose qui venait de la plier en deux au bord de la rivière ne méritait pas qu'on l'empêche de se rendre à terme, de lancer son premier petit cri, d'ouvrir les bras à la vie.

Pas de madame Bergeron, donc, pas d'aiguille à tricoter, pas d'œuf percé à peine conçu.

Mais quoi? Où?

Maria a quitté le bord de la rivière, repris la côte de Dorrance Street qui faisait un coude vers la gauche avant d'aboutir dans son quartier, celui des pauvres, après avoir étalé ses vitrines remplies de victuailles et de produits que les femmes comme elle ne pourraient jamais se payer. Elle n'a même pas tourné la tête vers la gauche en passant devant la Nicholson File. Fini, tout ça. Elle ignorait ce qui allait advenir d'elle, mais elle savait qu'elle ne retournerait jamais derrière cette machine infernale dont elle endurait la chaleur et le bruit depuis tant d'années, cette énorme structure de bois et de métal qui écrasait les ballots de coton, les mélangeait à toutes sortes de liquides puants nocifs pour la santé et qu'on laisserait ensuite sécher avant de les battre, de les étirer, de les filer dans une autre grosse machine tout aussi infernale.

La rue Fountain était déserte. Les femmes, en tout cas celles qui ne travaillaient pas dans une manufacture, s'occupaient de leur ménage pendant que leurs hommes suaient à grosses gouttes dans des ateliers insalubres et sales. Pas d'arbres rouges, or, bruns, ici, juste une rue de terre battue qui se changerait bientôt en rivière boueuse avec les premières pluies d'automne, et des trottoirs de bois qui achevaient de pourrir dans leur odeur de pipi de chat et de crotte de chien. On promettait de l'asphalte depuis des années, des trottoirs de ciment, mais jusque-là, seules l'électricité et l'eau courante avaient été installées, les travaux de voirie s'étant arrêtés sans raison apparente – ce qui était tout de même mieux que rien mais beaucoup moins que l'essentiel. On avait beau tenir sa maison propre et être soigné de sa personne, on savait qu'on allait se salir aussitôt le pas de la porte franchi. Et être jugé sur les bottes maculées et le bord de robe souillé.

En entrant, Maria Rathier a eu l'impression de violer l'intimité de quelqu'un d'autre. Ce qui l'entourait ne signifiait plus rien à ses yeux, tout à coup, elle ne reconnaissait ni ses meubles, ni la disposition de l'appartement, ni les quelques décorations installées au fil des années. Elle était là depuis plus de douze ans et rien ne lui ressemblait. Rien de sa personnalité, de ses goûts ne transparaissait. Ces rideaux, à la fenêtre du salon, les avait-elle vraiment fabriqués avec du tissu qu'elle avait elle-même choisi? Et cet affreux canapé défoncé, flanqué de deux affreux fauteuils dépareillés, elle l'avait vraiment acheté? Des choses, un assortiment de pipes en écume de mer, un fauteuil bourgogne qu'elle a toujours haï, un trou dans le mur de la cuisine, produit d'une colère et qui n'avait jamais été réparé, lui rappelaient Simon, ses cris, son odeur de pêcheur mal lavé, mais elle, où était-elle dans tout ça? S'était-elle efforcée, tout le temps qu'elle avait passé ici, à «regarder ailleurs» au point d'oublier de vivre? Non, pourtant. Avec ses filles elle avait été heureuse! Le sérieux de Nana, le rire de Béa, les yeux curieux de son bébé, Alice, qu'elle n'avait pas eu le temps de bien connaître...

Elle s'est fait une tasse de thé noir, mais il était trop fort et elle a dû le jeter dans l'évier parce qu'il redoublait sa nausée. Elle avait la vague impression d'être assise à côté d'elle-même et de ne plus connaître cette personne qui, pourtant, était bien elle. Maria se voyait de profil, toute maigre, une tasse de thé à la main, une femme perdue et décontenancée qui ne savait plus si elle devait se débattre ou abdiquer, rester prostrée là à tout jamais.

Elle s'est fait couler un bain. Le deuxième de la journée. Sa baignoire était vieille, cabossée, une grosse chose jadis émaillée à la bonde rouillée et aux robinets qui gouttaient – le propriétaire avait prétendu ne pas pouvoir installer une salle de bains neuve et avait racheté des rebuts de riches –, mais c'était le seul endroit depuis quelque temps où elle réussissait à trouver une certaine paix. Elle a sorti de son armoire à pharmacie le gros pain de savon au tilleul qu'elle gardait pour les grandes occasions – quand monsieur Rambert s'annonçait ou lorsqu'elle planifiait une sortie en ville – et s'est laissée tremper une bonne demi-heure dans l'eau froide additionnée de quelques canards d'eau chaude qu'elle avait fait bouillir sur le poêle à charbon.

Puis elle a pensé à ses deux sœurs installées à Montréal ; Teena, la plus joyeuse des filles Desrosiers, vendeuse de souliers dans un grand magasin de la rue Mont-Royal, et Tititte, la plus vieille, qui avait suivi son mari à Londres, là-bas, de l'autre côté de l'Atlantique, et était revenue au bout de quelques mois à cause du mal du pays. Sans son mari. Mais pas divorcée non plus parce que l'Église catholique ne le permettait pas plus en Angleterre qu'au Canada. Les protestants, en grande majorité en Angleterre, avaient le droit de divorcer, comme au Canada ; pas les catholiques. Et Ernest, leur aîné, le seul garçon de la famille, attaché à la branche montréalaise de la police montée – le premier Indien dans toute l'histoire du pays à être accepté dans ce corps policier d'élite et qui en était si fier, même si on ne l'envoyait jamais sur le terrain et que son travail consistait à jongler avec la paperasse de la branche de Montréal – et qui pourrait peut-être l'aider. Sa famille, du moins ses frère et sœurs, était réunie à Montréal, elle seule restait derrière, par orgueil, ou par entêtement. Elle avait quitté leur village en leur criant qu'elle les haïssait, qu'elle ne voulait jamais plus les revoir, elle ne leur avait jamais donné de nouvelles et c'est eux, chacun à leur tour, qui l'avaient retracée jusqu'à Providence et avaient repris contact avec elle. Des lettres lui étaient parvenues, teintées d'une étonnante tendresse ; il n'avait pas été question de pardon ni d'oubli, juste d'ennui, de liens familiaux indestructibles, de possibilité de réunion. Ernest avait même laissé un numéro de téléphone. Il avait le téléphone ! Il devait faire de l'argent comme de l'eau, à la Gendarmerie royale ! Elle avait fini par l'appeler après des semaines d'hésitations. Il avait été gentil, affectueux même, il lui avait dit qu'il savait par leurs parents, qui gardaient ses enfants, qu'elle était veuve, qu'elle n'avait aucune raison sérieuse de rester à Providence, et que si elle le voulait...

Et si elle les imitait, si elle se décidait au lieu de se contenter d'en caresser le projet, si elle montait sa vieille valise de la cave aujourd'hui même, si elle courait à la gare pour sauter dans le premier train en partance pour n'importe où en direction de Montréal? Alors quoi? Montréal, oui, c'était bien beau, mais...

Sans même s'en rendre compte, elle s'est retrouvée debout toute nue sur le carrelage de la salle de bains, dégoulinante et frissonnante, l'espoir au cœur. Oui, la solution était peut-être là, en fin de compte, au sein de la cellule familiale où elle avait pourtant posé une bombe autrefois...

Il ne fallait surtout pas réfléchir. Elle s'est rhabillée en vitesse, est descendue à la cave où elle n'a pas mis les pieds depuis des années.

Elle a été étonnée de la légèreté de ses biens : peu de vêtements, encore moins de souvenirs auxquels elle tenait (une petite collection de poupées gagnées autrefois par Simon dans diverses kermesses provinciales et que ses filles, en particulier Rhéauna, avaient adorées, des agates trouvées sur la grève et dont les veinules brillantes l'avaient ravie, une boîte à bijoux offerte par un monsieur Rambert tout rose qui prétendait vouloir le remplir au fil des années mais qu'elle avait fini par faire disparaître pour ne pas lui mettre de pression)... Et monsieur Rambert, au fait? Que faire de lui? Le prévenir? Ou se sauver comme une voleuse sans le revoir, sans rien lui expliquer? Sans lui parler de son état? Ne pas réfléchir à ça non plus, finir sa valise au plus vite, quitter ce maudit appartement presque insalubre et...

Juste avant d'ouvrir la porte pour la dernière fois, un vertige l'a prise. Ce n'était pas une nausée due à sa grossesse, c'était la terreur incontrôlable devant l'inconnu, la bonne vieille peur d'avoir fait le mauvais choix et de se diriger sans retour possible vers la catastrophe ; l'inquiétude, encore une fois, devant l'inéluctable destin. Elle avait une main gantée sur la poignée de la porte, elle portait sa valise de l'autre et elle avait conscience que le geste qu'elle allait faire dans les secondes qui suivraient déterminerait le reste de son existence. Tant pis. Providence ne représentait plus rien pour elle. Ni les manufactures de coton. Ni la nouvelle université à laquelle, de toute façon, l'enfant qu'elle allait mettre au monde n'aurait jamais accès.

Elle a laissé un mot pour monsieur Rambert. Elle a même eu la faiblesse d'avouer où elle se rendait. Mais sans ajouter le numéro de téléphone de son frère, à Montréal. Puis elle a traversé la ville à pied, sa petite valise à la main, après être passée à la banque retirer le peu d'argent qu'elle a réussi à mettre de côté au fil des années. Sans faire ses adieux à sa maison, à sa rue, à son quartier. Elle n'avait jamais été assez heureuse ici pour ressentir quelque regret que ce soit et elle n'était pas du genre nostalgique. Elle tournait le dos à douze ans de sa vie sur un coup de tête, sans penser aux conséquences. Comme lorsqu'elle avait eu vingt ans. Et, pour une fois, sans « regarder ailleurs ».

* * *

La Union Station était immense. Cinq bâtisses ! Par où commencer ? Où se diriger ? On disait que c'était l'une des plus grandes gares des États-Unis – plus de trois cents trains partaient chaque jour dans toutes les directions –, une plaque tournante très importante pour l'industrie sans cesse croissante de la Nouvelle-Angleterre. On prédisait à Providence un avenir glorieux et à ses habitants une vie des plus prospères, alors on avait bâti, sur les ruines de la vieille gare détruite par le feu en 1892, un monstrueux monument à l'imminent âge d'or de l'ère industrielle amorcée cent ans plus tôt. Après s'être informée auprès de gens pressés qui n'avaient à l'évidence aucune envie de l'aider, Maria a trouvé enfin un monsieur qui a bien voulu lui fournir une réponse du bout des lèvres : bâtiment 3 pour les trains en direction nord. Le vendeur de billets – un Canadien français dont les parents venaient de la Gaspésie – a beaucoup ri quand elle lui a demandé le chemin le plus court pour Montréal.

«Y en a pas, de chemin le plus court, pauvre p'tite madame. J'vous dis que vous allez vous taper toute une *ride*, là, vous! Vous allez travarser le Rhode Island, le Massachusetts, le New Hampshire, le Maine avant d'entrer dans le Canada… Vous êtes pas arrivée! Vous êtes sûre que vous voulez pas aller à Boston, plutôt? Le train s'arrête à Boston. Pis y a ben du monde qui partent d'icitte pour aller refaire leur vie là-bas… Y paraît qu'y a de la job en masse. Ma sœur est là. Mais c'est vrai qu'a l' a pas encore trouvé de travail, tant qu'à ça…»

Son premier train partait pour Boston deux heures plus tard. Elle s'est rendue au quai numéro 1 après avoir acheté un journal local et un sandwich et s'est installée sur un banc en prenant de longues respirations parce qu'elle sentait venir une nausée. Comme le sandwich ne sentait pas bon, elle l'a mis à la poubelle et n'est pas arrivée à se concentrer sur les pages du journal.

Puis l'idée lui est venue qu'elle allait arriver à Montréal comme une tout-nue, sans ménage, presque sans vêtements, enceinte, ses petites économies, qui lui permettraient de survivre à peine quelques semaines, cachées dans la doublure de sa valise. Et, sur un bout de papier, le numéro de téléphone de son frère qui lui avait peut-être fait des promesses sans imaginer qu'il aurait un jour à les remplir…

Ridicule.

Elle a failli se relever, déchirer le billet et rentrer se cacher chez elle pour les prochains mois en attendant que naisse cet «indésiré» qu'elle n'a pas voulu et qui va lui compliquer la vie. Ou alors courir chez madame Bergeron et ses instruments de torture. Mais elle est restée là, les mains plaquées sur le ventre, à attendre son train.

Puis, tout à coup, alors qu'elle ne s'y attendait pas, elle a relevé la tête, elle s'est appuyée contre le dossier du banc de bois, elle a regardé les frises de métal qui ornaient le plafond – des angelots joufflus se mêlaient aux signataires de la constitution américaine, des archanges pourfendaient de pauvres Indiens, un train sculpté courait en frise autour de l'immense pièce – et elle s'est mise à rire. Un beau grand rire tonifiant qui partait du tréfonds d'elle-même, qui lui faisait du bien, et qui, elle l'espérait, la mènerait loin.

* * *

Elle a choisi un wagon presque vide. Seul un jeune homme dans la vingtaine occupe l'un des deux sièges qui se font face près de la fenêtre. Il est propret et bien mis. C'est sans doute un fils de patron en voyage ou un nouveau petit boss frais émoulu d'une école spécialisée qui se rend à son premier emploi sérieux. Elle s'assoit en face de lui et il la salue avec politesse avant de se replonger dans la lecture de son journal. Il a un long visage grave, un nez busqué, des yeux tristes, et ses vêtements, à première vue bien coupés et dispendieux, portent la marque du temps quand on y regarde de plus près. Le bord de la veste est élimé et le pantalon usé aux genoux, comme s'il passait une partie de sa vie prosterné dans une église. Un prêtre défroqué ? Ou un prédicateur anglican en tournée ? Mais elle les connaît, ceux-là, ils arborent toujours un air supérieur dont celui-ci est dépourvu. Alors quoi ? Un étudiant en goguette qui a usé son pantalon à force de le frotter sous son pupitre ?

Elle essaie de lier conversation, question de passer le temps ou de «regarder ailleurs» pendant que le train s'ébranle le long du quai numéro 1 de la gare de Providence pour la mener vers une existence dont elle n'a aucune idée et qui la terroriserait si elle y réfléchissait. Tout est bon pour l'empêcher de réfléchir. Il lui répond d'abord par monosyllabes puis finit par se détendre un peu. Il va même jusqu'à poser son journal à côté de lui. Elle voit bien qu'il la trouve belle et s'en trouve flattée. Quand il apprend qu'elle est francophone, il passe au français sans qu'elle le lui demande. Son français est excellent, fluide, un peu précieux, une langue de toute évidence apprise dans une école. Avec une jolie pointe d'accent américain qu'elle trouve charmant. Elle est habituée aux gros *r* roulés des Canadiens français de Providence, ceux du jeune homme sont plus doux et arrivent du fond de la gorge comme un léger bruissement.

Il lui dit qu'il est né ici, à Providence, qu'il a été journaliste et qu'il espère devenir écrivain.

«Pour écrire quoi?»

Il semble étonné de sa question.

«Des romans, mademoiselle. J'aimerais écrire de belles histoires. Pour le moment, je me consacre à la poésie, mais j'aimerais un jour passer au roman... comme beaucoup de poètes.

— Quelle sorte de roman?»

Il la regarde un moment avant de lui répondre. On dirait qu'il a honte de ce qu'il va dire.

«C'est une littérature un peu... spéciale.»

Elle rosit et baisse la tête.

«Vous voulez dire des livres qu'on se cache pour lire... des romans érotiques? C'est ça? Nous autres, on appelle ça des romans cochons.»

Son rire, si inattendu, la fait sursauter.

«Non, non, pas du tout. Ce n'est pas ce que je voulais dire... C'est même très loin de la littérature érotique... Mais parlons de vous, si vous voulez... Vous me posez des questions depuis tout à l'heure, mais vous ne m'avez encore rien dit en ce qui vous concerne...»

Elle est sur le point de lui répondre qu'elle est loin d'être un sujet de conversation intéressant, que sa vie n'a été jusque-là qu'une suite de mésaventures plus ou moins désolantes dont le récit l'ennuierait au lieu de le divertir entre Providence et Boston, même si le voyage est court, qu'un futur écrivain comme lui connaît sans doute des histoires beaucoup plus intéressantes, en tout cas moins banales, lorsque quelque chose dans ses yeux à lui, une lueur d'intérêt vrai, une chaleur nouvelle qu'elle n'avait pas soupçonnée jusque-là, une curiosité qui n'a rien de maladif, comme souvent chez les prêtres ou les pasteurs, mais qui vient d'une sincérité teintée d'empathie, réveille en elle une envie subite de se confier, de se débarrasser de tout ça, de tout déverser sur quelqu'un d'autre, même un pur étranger qui ne peut rien pour elle. Juste pour se soulager. Il lui tend la main, elle n'a qu'à se laisser guider...

Et tout sort, d'une seule venue, un long et incontrôlable monologue qui occupe presque tout le temps du voyage, une logorrhée de mots qui s'échappent d'elle avec une étonnante facilité. Tout y passe : la Saskatchewan, son arrivée en Nouvelle-Angleterre, son mariage, ses enfants abandonnés parce qu'elle n'avait pas le choix... et sa situation actuelle qu'elle avoue sans rougir et sans baisser la tête. Elle le regarde même droit dans les yeux pendant qu'elle lui raconte ce qu'elle a failli faire à peine quelques heures plus tôt, madame Bergeron, l'œuf crevé, le dégoût et la honte d'y avoir même pensé. Elle s'attend d'une seconde à l'autre à lire du mépris dans son regard, une condamnation de pasteur ou de curé vertueux qui possède la vérité sur tout et qui l'assène à coups de sermons implacables et aveugles dénués de toute charité et de toute mansuétude. Mais non, rien de tout ça ne vient. Elle ne voit que de la compassion chez cet homme pourtant trop jeune pour comprendre les vicissitudes de la vie et, surtout, l'impuissance devant les trop grands malheurs que le destin vous réserve parfois.

Tout le temps qu'elle parle, Maria lisse sa robe sur ses cuisses, comme pour y faire disparaître des faux plis qui n'existent pas. Un geste de petite fille qui lui revient quand elle est embarrassée et qu'elle ne sait pas quoi faire de ses mains. Seul le bout de ses bottines à œillets dépasse de sa jupe noire qui traîne sur le bran de scie dont le plancher du wagon est jonché pour permettre aux hommes qui fument la pipe de cracher à leur aise. Elle enlèverait bien son chapeau, il fait une chaleur étouffante, mais une femme en voyage ne se décoiffe jamais, sinon elle pourrait passer pour une moins que rien, une aventurière. C'est pourtant ce qu'elle est, une aventurière, à sa façon, non? Partir à l'improviste, comme ça, sans prévenir personne, se jeter sans réfléchir dans le vaste monde pour échapper à une situation qui va de toute façon la poursuivre où qu'elle aille…

Le jeune homme ne la quitte pas des yeux pendant toute sa confession. Parce que c'est une véritable confession, livrée à voix basse sur un ton de confidence. Elle soutient son regard; il la scrute, il fouille chacun de ses mots, il décortique tout ce qu'elle dit, mais pas une seule seconde pendant les longues minutes que dure son récit elle ne se sent jugée. À l'église, elle aurait tremblé à l'avance devant les invectives que le prêtre n'aurait pas manqué de déverser sur elle dans la pénombre du confessionnal en savourant l'humiliation qu'il lui aurait fait subir; ce jeune homme, qu'elle ne connaissait pas quelques heures plus tôt cependant – un poète, en plus, un de ces hommes trop imaginatifs et souvent neurasthéniques qui ont si mauvaise réputation, alcooliques pour la plupart –, se contente de l'écouter en essayant de comprendre ses problèmes au lieu de les juger. Elle n'attend pas de conseils de sa part, il n'a sans doute aucune expérience de la vie, mais elle apprécie sa complète attention et la sympathie qu'elle croit percevoir dans son attention respectueuse.

Quand elle est rendue au bout de tout ce qu'elle avait à dire, le silence retombe sur le wagon.

Le jeune homme a froncé les sourcils, ses yeux se sont embués. À son tour de chasser une poussière inexistante sur son pantalon. Le voilà plus embarrassé qu'elle!

«J'pouvais rien faire d'autre, comprenez-vous? Sinon tuer mon enfant! Pis continuer la même vie avec une raison de plus d'avoir des remords!»

Elle lit dans ses yeux qu'il comprend son désarroi, elle voit aussi qu'il ne sait pas quoi lui dire, qu'il voudrait bien l'encourager, que les mots lui manquent parce qu'il n'est pas une femme et que les hommes sont ignorants de ces choses-là, même ceux qui sont compatissants et qui essaient de comprendre.

«Je sais que vous pensez que vous pouvez pas m'aider. Vous savez, vous l'avez déjà fait juste en m'écoutant.»

Il va pleurer comme un petit garçon. Parce qu'il est impuissant devant ce qu'elle vient de lui raconter. Elle s'apprête à le consoler lorsque le sifflet du train se déclenche; ils entrent dans la gare de Boston. Ce désagréable son strident coupe en deux le fil ténu d'intelligence qui les reliait. Et elle a pitié de lui, pauvre écrivain en herbe qui n'a pas encore trouvé ses mots et qui se sent désarmé. Alors elle lui sourit, le remercie encore une fois de l'avoir écoutée tout en remettant ses gants de fil blanc un peu légers pour la saison. Elle trouve même un ton de femme du monde copié sur celui des madames riches qui viennent parfois visiter la manufacture pour montrer leur sympathie envers les pauvres ouvriers:

«C'est quoi, votre nom? J'aimerais ça le savoir au cas où je le verrais un jour sur la couverture d'un livre… érotique ou non.»

Il se lève, il se penche sur elle, lui prend la main, y pose un léger, tout léger baiser.

«Howard Phillips Lovecraft. Et moi aussi je me lance dans une aventure dont je ne peux prédire l'issue dans une ville que je ne connais pas... Je vous souhaite bonne chance, madame.»

Elle sort du wagon sans se retourner. Son prochain train, dans une demi-heure, la mènera un peu plus au nord, elle ne se souvient plus trop où, dans le Maine ou le Vermont...

Ils ne se disent pas au revoir.

Et elle ne lira jamais la magnifique nouvelle intitulée *The French Lady on the Train* qu'il fera publier quelques mois plus tard dans *The Argosy*, récit dans une veine fantastique et macabre qui attirera l'attention sur lui et contribuera à lancer sa carrière littéraire.

* * *

C'est donc ça, Montréal?

Le train vient de s'engager sur le pont Victoria, une énorme structure de métal, une sorte de tunnel aérien ajouré jeté au-dessus des eaux du fameux fleuve Saint-Laurent dont Maria a entendu parler pendant toute sa vie – en Saskatchewan parce que c'est le mythique berceau des Canadiens français, et à Providence parce qu'on rêve sans cesse d'y retourner – et qui l'impressionne par sa largeur inouïe et sa colossale majesté : à côté de ça, la rivière qui coupe Providence en deux, aussi belle soit-elle, ressemble plutôt à un gros ruisseau de printemps!

Elle a collé son nez à la fenêtre comme une petite fille et essaie de vérifier, comme ça, de loin, d'un premier regard, ce qu'elle sait de cette ville : oui, il semble bien y avoir une montagne au milieu de l'île, mais moins imposante que ce à quoi elle se serait attendue (elle avait cru trouver quelque chose qui aurait ressemblé au Vésuve ou au Kilimandjaro, dont elle avait vu des illustrations dans des magazines, et se retrouvait devant une grosse colline brune et grise qui venait de perdre ses feuilles comme les montagnes de la Nouvelle-Angleterre qu'elle avait traversées depuis la veille, et pas plus élevée); le port, bourdonnant d'activité, est énorme, mais elle n'est pas sûre qu'il soit plus important que celui de Providence; beaucoup de très hauts bâtiments, sans vrai gratte-ciel cependant; des raffineries, des manufactures de toutes sortes, sans doute beaucoup de bruit, de la fumée plein le ciel, signe d'une activité industrielle importante. C'est donc vrai, Montréal est une grosse ville.

Et tout ce qu'elle a pour se débrouiller dans ce bouillonnement de vie inconnu et peut-être menaçant, c'est le numéro de téléphone de son frère Ernest, sans même une adresse où le retrouver. Qu'est-ce qu'elle va faire en débarquant du train? Se jeter sur le premier téléphone libre? Attendre d'abord d'avoir loué une chambre quelque part parce qu'elle ne peut tout de même pas se présenter chez lui à l'improviste? Qu'est-ce qu'il dirait! Et sa femme, Alice, qu'elle n'a jamais rencontrée et dont elle ne soupçonnait même pas l'existence il y a quelques mois? Ou alors reprendre le premier train en partance pour la Nouvelle-Angleterre par manque de courage, parce qu'elle a eu tort de quitter Providence, que personne ne voudra d'elle ici, qu'il n'y a pas de place pour elle, que sa situation n'aura pas changé et qu'il ne suffit pas de se déplacer pour régler ses problèmes? Surtout celui auquel elle fait face en ce moment? Elle porte ses mains à son ventre.

«Pauvre t'enfant. Y faudrait quand même pas que je te barouette comme ça trop longtemps. Faut ben que je me pose quequ'part!»

Elle regarde en direction des guichets. Des hommes, tous d'âge mûr, conseillent des voyageurs, leur vendent des billets pour un peu partout en Amérique du Nord. Des valises, parfois énormes, sont posées un peu partout autour de leurs propriétaires, lourdes, massives, gainées de métal, ou alors tout humbles, en cuir bouilli, attachées avec des cordes, au ventre arrondi parce que trop bourrées. Maria sait bien qu'elle n'aurait jamais le courage de repartir tout de suite.

Maria a posé sa valise sur le plancher de marbre et tourne sur elle-même, la tête levée, le cou tordu. Ce n'est pas une gare, c'est une cathédrale! Les ogives, les vitraux, les arches, la voussure du plafond, l'éclairage électrique en plein jour, tout lui donne le vertige. Des centaines de personnes courent en tous sens dans la salle des pas perdus, certaines d'entre elles la bousculent parce qu'elle s'est arrêtée au milieu de la circulation et leur bloque le chemin, des dizaines de départs et d'arrivées de trains sont annoncées sur un grand panneau de métal dont les lettres changent de façon automatique, comme si quelqu'un, ou même plusieurs personnes, était caché derrière pour les remplacer le plus vite possible au fur et à mesure que l'horaire évolue. À Providence, comme la gare était dispersée en cinq bâtiments indépendants, la salle de départ qu'elle avait vue ressemblait à une petite station de province, plutôt calme et accueillante, mais ici, les arrivées, les départs pour partout en Amérique du Nord, la billetterie, les boutiques, tout est réuni au même endroit et la gare Windsor ressemble à une ruche en folie.

Elle se sent écrasée, insignifiante, perdue, au milieu de cette foule agressive qu'elle croit belliqueuse. Une nausée lui fait porter une main à sa bouche; elle cherche des yeux les toilettes des dames. Mais ça passe presque aussi vite que c'est venu, sans doute la nervosité… Elle reprend sa valise et se dirige vers l'une des sorties en louvoyant entre les voyageurs. Après tout, elle a toujours été dégourdie, elle peut faire face à cette situation et s'empêcher de réagir en petite provinciale écrasée par la grande ville! L'occasion de le prouver une fois de plus se présente et elle ne doit pas se laisser impressionner. Elle peut tout de même se débrouiller à Montréal sans s'en laisser imposer, non? Après tout, elle n'arrive pas du fin fond des bois, et elle a déjà traversé tout son pays, douze ans plus tôt, elle en a vu, des gares!

Elle aperçoit une marchande de journaux occupée à déballer une pile de magazines et se dirige vers elle.

«Je voudrais téléphoner. Savez-vous où je peux trouver un téléphone public?»

La femme ne lève même pas la tête pour lui répondre.

«Sorry, I don't speak French.»

C'est sa première Montréalaise et elle ne parle pas français! En tout cas, il n'est pas question qu'elle s'adresse à elle en anglais! Elle n'est pas venue jusqu'ici, le berceau des Desrosiers, pour parler anglais à la première personne qu'elle croise!

«On est pas supposé de parler en français, à Montréal?»

La femme lève enfin la tête et la regarde avec une moue méprisante qui pique Maria au vif.

«I told you, I don't speak French!»

Une seule chose sort de sa bouche, qu'elle regrette aussitôt, mais il est trop tard et elle se rend compte que la femme l'a très bien comprise parce qu'elle rougit d'un seul coup, comme si elle l'avait giflée :

«Ah, pis va donc chier!»

Et elle s'éloigne, tête haute, à la recherche d'un appareil téléphonique.

DOUBLE FUGUE

Montréal, août 1914

«Y paraît qu'y avait des canons de cachés dans la cale, pis toute! Si la guerre avait été déclarée c'te semaine-là, y nous tuaient, toute la gang! La ville de Montréal au grand complet y passait!

— À partir du port! Avec un seul bateau! Voyons donc, Maria, Montréal est pas un village! Pis, de toute façon, y ont écrit, après, dans le journal, que c'était pas vrai! Que c'était juste une rumeur! Parce que le bateau était allemand, justement, pis qu'on savait pas quand est-ce que la guerre serait déclarée! Voir si y envoient des canons avant que les guerres soient déclarées! Franchement!

— Tu crois tout ce qui est écrit dans les journaux, toi?

— Tu l'as ben cru, toi, quand t'as lu qu'y' avait des canons de cachés dans la cale d'un bateau allemand dans le port de Montréal un mois avant la guerre! Pourquoi ça ça aurait été vrai, pis pas le contraire? De toute façon, est déclarée, là, la guerre, pis personne est mort!

— Personne est mort parce qu'y a pas de bateau allemand dans le port!

— Les bateaux qui viennent ici sont des bateaux de marchandises, Maria, pas des bateaux de guerre!

— On sait jamais...

— Hé que t'es niaiseuse, des fois, toi...»

Teena profite de l'inattention de ses deux sœurs pour abattre son as de carreau en lançant un petit cri de victoire.

«T'nez, mes deux snoreaudes, passez-vous ça sous le nez! Fin de la partie! J'ai gagné!»

Tititte frappe la surface de la table du plat de la main, se fait mal avec une de ses nombreuses bagues, la secoue en faisant la grimace.

«Y te restait un as, toi?»

Teena prend ce petit air supérieur qui insulte tant ses deux sœurs quand elle gagne aux cartes.

«Si vous aviez été moins occupées à vous chicaner pour rien au sujet d'une rumeur vieille d'un mois autour d'un vieux bateau allemand pis de sa supposée cargaison de canons, si vous aviez porté un peu plus attention au jeu, vous vous seriez rendu compte que l'as de carreau était pas encore passé. On n'est pas là pour parler des bateaux de guerre, on est là pour jouer aux cartes!»

Et elle ramasse les quelques sous qui traînent au milieu de la table.

Tititte lance un grand soupir d'exaspération et s'empare du dernier biscuit soda recouvert de Paris Pâté qui trône dans l'assiette de porcelaine blanche. Elle mord dedans à belles dents, recueille dans le creux de sa main les miettes qui lui sont tombées sur le menton et mâche en faisant une mine ravie parce qu'elle adore le Paris Pâté – qu'elle appelle d'ailleurs du *Pâté de Paris* parce que ça fait plus chic – dont on dit pourtant qu'il ne contient pas que des choses bonnes pour la santé. C'est salé, c'est amer, ça goûte presque le poisson même si c'est censé être du foie de quelque chose, de bœuf ou de porc, elle ne sait plus trop. En fait, ça lui rappelle un peu Londres où ce genre de nourriture en boîte est très populaire et dont elle ne garde pas que de mauvais souvenirs, après tout. Elle s'essuie les mains sur sa serviette de table.

Maria jette son jeu sur la table.

«De toute façon, j'ai pus le goût de jouer…»

Ses deux sœurs se lancent un regard entendu.

Tititte ramasse les cartes, les replace dans leur petite boîte de carton.

«On sait ben, quand tu perds, t'as pus jamais le goût de jouer. Quel âge que t'as? Douze ans comme ta fille Nana?»

Maria s'empare de l'assiette vide, se lève pour aller la porter à la cuisine, se ravise et se tourne vers sa sœur.

«C'est ça, dis-moi que chus mauvaise perdante!

— T'es mauvaise perdante, Maria Desrosiers, pis la soirée finit toujours mal quand tu gagnes pas!»

Comme tous les lundis, son soir de congé, Maria reçoit ses deux sœurs pour ce qu'elle appelle «une petite partie de cartes entre amies» mais qui finit souvent par des échanges vitrioliques parce que toutes les trois, Maria, Teena, Tititte, sont mauvaises perdantes et que le sang des Desrosiers qui coule dans leurs veines est du genre bouillant.

«Comme si t'aimais ça perdre, toi, Tititte!»

Tititte se lève, s'étire en se tenant les reins à deux mains.

«Personne aime ça, perdre, Maria, mais tout le monde réagit pas comme toi tu le fais! J'haïs ça, perdre, mais je fais pas des drames en trois actes qui ont pas de fin pis qui mènent nulle part!»

Maria passe la tête dans la porte de communication entre le salon, où elle a installé la petite table pliante qui sert chaque lundi soir, et la cuisine.

«T'as la mémoire courte, Tititte… La semaine passée, j'te dis que t'étais pas belle à voir…»

Teena lève la main pour l'interrompre.

«Ça va faire, là, vous deux. On recommencera pas ça! La partie est gâchée, là, parlons-en pus…»

La voix de Maria leur parvient de la cuisine au bout de quelques secondes.

«Voulez-vous d'autre Paris Pâté, y en reste un peu dans le fond de la dernière boîte. Des biscuits soda, aussi…»

Tititte s'assoit sur le sofa défoncé d'une affreuse teinte située entre le brun foncé et l'anthracite, un cadeau de leur frère Ernest, une vieille chose dont Alice, sa femme, avait voulu se débarrasser et qui a abouti là, dans le minuscule salon de Maria. On dirait un énorme animal malade venu s'écraser dans le coin de la pièce pour mourir. Maria n'a pas encore les moyens de se payer un ménage qui a du bon sens et s'est vue dans l'obligation d'accepter ce que lui ont offert ses sœurs et son frère, aussi son appartement ressemble-t-il à un bric-à-brac qui choque le sens esthétique de Tititte. À son avis, tout ce qu'il y a de beau dans cette pièce vient d'elle.

Tititte réfléchit quelques secondes, soupire.

«Envoye donc. Après toute, c'est pas deux ou trois biscuits soda de plus qui vont me faire engraisser…»

Maria revient avec une assiette sur laquelle sont posés des biscuits soda et le reste de Paris Pâté dans sa petite boîte de métal bleue.

«T'nez, servez-vous. Ça me tente pas de faire d'autres canapés.»

Tititte éclate de rire.

«T'appelles ça des canapés, toi? Tu sacres un motton de Pâté de Paris sur un biscuit soda pis t'appelles ça un canapé?

— Comment tu veux que j'appelle ça? Un motton de Pâté de Paris sur un biscuit soda? D'abord, c'est pas du Pâté de Paris, c'est du Paris Pâté, arrête donc avec ça, c'est fatiquant…»

Tititte écrase un bout de matière molle et grasse sur un des fragiles biscuits soda.

«Qu'est-ce qu'y a de mal à essayer d'être un peu chic, veux-tu ben me dire?» Teena bâille à s'en décrocher la mâchoire, s'excuse auprès de ses sœurs.

«Ça prend ben toi pour essayer de rendre un peu de Paris Pâté chic! Franchement! C'est pas chic, Tititte, c'est du gras de mauvaise qualité vendu pas cher pour les malchanceux qui ont pas les moyens de se payer du vrai pâté de foie! Même mon chat lève le nez dessus!

— Ton chat est tellement gâté qu'y lèverait le nez sur une assiette de caviar de béluga!

— Mon chat est pas plus gâté que le tien, tu sauras, Tititte Desrosiers!»

Maria les fait taire d'un geste.

«*Time! Time!* les filles! On fait la trêve, le temps de finir mon somptueux lunch de fin de soirée!»

Avec des gestes de grande dame, Tititte prend un autre biscuit salé et y étale une épaisse couche de faux pâté de foie.

Tititte se croit la plus sophistiquée des trois sœurs Desrosiers parce qu'elle vend des gants chez Ogilvy, un grand magasin de la rue Sainte-Catherine Ouest fréquenté par les riches de Westmount et d'Outremont. Ses clientes – les hommes sont rares, ils sont trop pris par leur travail pour s'occuper de choses aussi futiles que le magasinage et font acheter leurs gants par leurs femmes – sont exigeantes, snobs, impolies, mais Tititte admire leur allure altière, leurs vêtements ruineux, les parfums sans prix dont elles s'aspergent, des effluves capiteux qui annoncent leur arrivée en fanfares de fleurs assassinées et traînent longtemps autour de la vendeuse après leur départ, volatils mais insistants. Elle excuse leur arrogance en se disant qu'elle ferait la même chose si elle se trouvait à leur place. Et en rêve en secret.

Teena est vendeuse, elle aussi, mais dans un établissement très différent. Moins chic, surtout moins prestigieux : elle vend des souliers chez L. N. Messier, sur la rue Mont-Royal, un magasin que Tititte trouve trop *cheap* à son goût et où elle ne met jamais les pieds : les gants qu'on y trouve sont à son avis de très mauvaise qualité et indignes d'être enfilés par une femme qui se respecte. D'ailleurs, la seule idée que sa sœur passe ses journées accroupie aux pieds de gens qui se déchaussent devant elle la fait frémir. Teena se compte pourtant chanceuse d'avoir trouvé ce travail – elle a été des années gouvernante dans une maison située sur le sommet du mont Royal et en garde un exécrable souvenir – et peut passer de longues soirées à raconter avec un évident plaisir ce que cachent les robes longues pas toujours propres et les pantalons froissés des habitants du Plateau-Mont-Royal. Ces anecdotes, bien sûr, n'amusent pas du tout Tititte qui se contente de soupirer et de hausser les épaules devant les éclats de rire de ses deux sœurs.

Quant à Maria, elle sert six soirs par semaine de la boisson forte dans un de ces cafés chantants de la rue Saint-Laurent que le maire Martin n'a pas réussi à faire fermer récemment, malgré une campagne menée à fond de train et l'appui des bien-pensants de Montréal. Il est même allé jusqu'à déclarer : «On ne va pas au café pour faire des prières!» Tititte l'a lu dans *La Presse*. Ces lieux mal famés – Tititte est d'accord là-dessus, ce sont bien des lieux mal famés – restent donc ouverts au su et au vu de tout le monde, avec leurs numéros de cabaret inconvenants souvent importés d'Europe, leur réputation de rassembler tout ce qu'il y a de plus déplorable comme individus louches dans la ville, leurs heures de fermeture scandaleuses, sans compter la réputation de libertinage qu'ils infligent à Montréal. Tititte a déconseillé à Maria, l'année précédente, d'accepter cet emploi, mais sa sœur l'a envoyée promener en lui disant qu'elle avait besoin d'argent si elle voulait revoir ses filles. Tititte pense toujours que Maria a eu tort – après tout, le retour de sa plus vieille, Rhéauna, est loin d'être un succès – et essaie d'éviter de parler de ce que sa sœur subit tous les soirs pour survivre parce que ça la dégoûte un peu. Elle sait que c'est hypocrite, que Maria a peut-être besoin d'une oreille compatissante, et elle laisse cette tâche à Teena qui, au lieu de s'offusquer, tire des récits de Maria une évidente satisfaction mêlée de fous rires de petite fille qu'on sort pour la première fois de son monde naïf et puéril où règnent des poupées en robes bouffantes. Elle a même visité à plusieurs reprises le lieu de travail de Maria et en est repartie chaque fois enchantée de ce qu'elle y avait vu, comme si tout ça était nouveau pour elle. Ce n'est pourtant pas les expériences de la vie qui lui manquent, elle a longtemps eu la réputation d'être la plus délurée des trois sœurs Desrosiers, au point que quelques-uns de ses voisins – elle habite un appartement de la rue Fullum, pas loin de son travail – refusent de lui parler. Mais elle n'oserait jamais fréquenter un café chantant toute seule, surtout sur la rue Saint-Laurent, et chaque fois que Maria l'y a invitée, elle a été ravie et s'est amusée comme une folle.

Elles vivent donc toutes les trois sans homme dans une société où c'est plutôt mal vu : Teena ne s'est jamais mariée malgré le grand nombre de cavaliers qui lui ont tourné autour – on parle à mots couverts d'un enfant qu'elle aurait eu dans sa jeunesse, mais c'est un sujet tabou que personne n'oserait jamais aborder avec elle –, Maria est peut-être veuve mais ce n'est pas sûr, et Tititte, sans être divorcée parce que sa religion le défend, est revenue de Londres toute seule en jurant qu'elle ne voulait plus rien savoir des hommes. Elles font office de curiosités dans ce monde régi par les hommes où les femmes font un enfant par année, même en ville, et où, surtout, elles ne profitent d'aucune indépendance ou liberté.

La soirée se termine dans une trêve forcée marquée par de longs silences – à quoi bon parler si on n'a pas le droit de discuter – que Maria essaie en vain de meubler du mieux qu'elle peut par des sujets qui tombent à plat. La partie de cartes s'est mal terminée, et trop tôt pour qu'on se quitte en prétextant aller se coucher, le petit lunch s'est transformé en jugement sur les goûts culinaires de Tititte qui essaie de se donner des grands airs même en mangeant du vulgaire Paris Pâté. Rien de particulier ne s'est passé depuis une semaine qui pourrait faire repartir la conversation, l'ennui et l'embarras s'installent donc dans le salon de l'appartement de la rue Montcalm, au cœur du faubourg à m'lasse, autre sujet de bisbille entre Maria et Tititte, d'ailleurs, parce que celle-ci prétend que ce n'est pas un quartier où élever une fillette de douze ans.

«Y était en vente.»

Teena et Tititte ont presque sursauté. C'est la première fois que quelqu'un ouvre la bouche depuis un bon moment et chacune, tout en sirotant un thé noir un peu fort – on appelle ça le thé des Indiens, dans la famille Desrosiers –, était perdue dans ses pensées.

Teena dépose sa tasse.

«Quoi donc? Qu'est-ce qui était en vente?

— Le Paris Pâté. Y était en vente. Sept cennes la boîte au lieu de dix, chez Clavet, sur la rue Panet. Ça valait la peine. J'en ai pris trois boîtes pour à soir... On les a toutes passées!»

Tititte porte aussitôt les mains à sa bouche et se lève en courant.

«Tu m'as fait manger du pâté à sept cennes la boîte! Mais tu veux nous tuer!»

Teena lance un regard à Maria, l'air de dire bon, ça y est, on repart! Maria lève les yeux au ciel.

«J'te ferai remarquer que tu trouvais ça bon, y a deux minutes, Tititte! Sept cennes, c'est pas rien, tu sais! Pis parle pas trop fort en passant devant la chambre des enfants, tu pourrais réveiller Théo! Fais pas semblant d'être malade non plus, juste parce que j'ai acheté ça en vente. Franchement! Y ont pas introduit du poison là-dedans en baissant le prix! Tu t'es même pas rendu compte qu'y avait coûté moins cher! Ça veut dire qu'y goûtait la même chose que si y avait coûté dix cennes!»

Mais Tititte est déjà dans la salle de bains à produire toutes sortes de bruits de gorge désagréables qui font sourire ses sœurs habituées à ses crises de femme du monde que tout écœure et qui prétend être bouleversée à la moindre entorse à la bienséance ou au bon goût.

«Tititte! J't'ai dit de pas réveiller les enfants!»

Trop tard, Théo s'est mis à beugler. Maria traverse le corridor pour aller ouvrir la porte de la chambre que partagent ses deux enfants.

«Rhéauna! Rhéauna! Dors-tu?»

Une voix ensommeillée sort de sous les draps du petit lit qui longe un des murs de la pièce.

«Mmmmh?

— Théo s'est réveillé, pis je peux pas m'en occuper parce que tes tantes sont pas encore parties...»

Une tête se faufile à côté d'elle dans l'encadrement de la porte. C'est Teena, folle de Théo, qui ne manquerait aucune occasion de le faire sauter dans ses bras en le couvrant de baisers mouillés et rouge sang.

«Teena, dérange-les pas! Y faut qu'y fassent leur nuit!»

Rhéauna a repoussé les couvertures et s'est assise dans son lit pendant que les deux femmes se sont approchées du petit lit de Théo. Celui-ci gigote de joie en apercevant la silhouette de sa mère.

Teena porte ses deux mains à son cœur.

«Mais y est ben beau! Mais y est ben gros! Y a encore engraissé depuis la dernière fois que je l'ai vu!»

Maria la bouscule doucement pour prendre son enfant qui se met aussitôt à gazouiller.

«Teena, tu le vois même pas, y fait trop noir!»

Teena tend déjà les bras.

«Passe-moi-le, un peu... Viens voir ma tante, mon beau Théo, viens vois ma tante qu'a' te morde jusqu'au sang! Hé, qu'y est beau, c't'enfant-là, ça a juste pas de bon sens! Un vrai Enfant Jésus!

— Teena, arrête ça, là! Tu vas l'énerver, encore, pis après ça y sera pus endormable!

— J'vas faire attention...

— Tu dis toujours ça, pis quand tu t'en vas, tu me laisses un paquet de nerfs sur les bras...»

Rhéauna est déjà à côté d'elles, prête à s'occuper de son petit frère.

«Pourquoi tu m'as réveillée, moman, si tu voulais t'en occuper toi-même?»

Sa tante Teena lui passe la main dans les cheveux.

«Toi aussi, t'as grandi, Nana... Mais j'te dis que t'as pas grossi, par exemple... T'as l'air d'une échalote qui a poussé trop vite!»

Rhéauna bâille en écartant la main de sa tante.

«Vous me dites ça chaque fois que vous me voyez, ma tante Teena, vous pourriez essayer de trouver quequ' chose de nouveau!»

Elles tournent toutes les trois la tête en direction de la porte. Tititte vient de faire son entrée, un mouchoir parfumé – une vague de Tulipe noire a vite investi la pièce – devant la bouche. Maria dépose le bébé dans son berceau après l'avoir embrassé.

«Viens pas en rajouter, Tititte, y a déjà trop de monde dans la chambre.

— Moi aussi, je veux le voir!»

Maria se redresse, met ses mains sur ses hanches.

«Bon, ben, qui c'est qui mène ici, là? Envoyez, dehors! Toutes les deux! Y faut que ces enfants-là dorment! Nana, retourne te coucher, pis vous autres, la soirée est finie, c'est le temps de rentrer chez vous...»

* * *

Rhéauna n'a pas dormi de la soirée, bien sûr. Elle a fait semblant de se réveiller lorsque sa mère a surgi dans la chambre, alors qu'elle venait à peine de se recoucher en vitesse. Comme chaque lundi, aussitôt Théo endormi, elle a approché sa petite chaise près de la porte de la chambre qu'elle a entrouverte avec mille précautions pour écouter jaser sa mère et ses deux tantes. Certains lundis, elle se dit qu'elle aurait mieux fait d'aller tout droit au lit tellement il ne se passe rien d'intéressant autour de la table à cartes. Des commérages archirabâchés au sujet de la famille ou des camarades de travail des trois femmes sont échangés sans passion. Quelques points de vue tout à fait farfelus sur la mode ou le coût de la vie sont exprimés. (Les sœurs Desrosiers se désespèrent sans arrêt de la flambée des prix et parlent beaucoup d'argent parce qu'elles en ont peu.) Des rires gras fusent à la fin d'histoires drôles auxquelles la fillette n'a rien compris et qui semblent toujours offusquer la tante Tititte. Quelques sacres bien sentis sont lancés, même par cette dernière, devant une donne mal distribuée.

Il lui arrive de s'endormir la tête contre le chambranle parce que ce qu'elle entend l'ennuie et, lorsqu'elle se réveille, elle met quelques secondes à se rappeler où elle se trouve.

Sa curiosité est quelquefois récompensée, toutefois, par une nouvelle qu'on essaie de lui cacher et qu'elle est heureuse d'apprendre, l'oreille collée contre l'entrebâillement de la porte, le cou étiré et le cœur battant, ou alors un sujet qu'on ne veut pas aborder devant elle parce que ça ne concerne que les adultes. Il n'est pas nécessaire que ce soit quelque chose d'important, la nouveauté suffit, surtout lorsque mêlée d'une petite odeur d'interdit...

Et la partie de cartes qui s'achève ce soir-là s'est révélée tout à fait passionnante. En même temps qu'inquiétante. D'abord, fait plutôt intrigant, ses tantes sont arrivées beaucoup plus tard que d'habitude, ce qui fait que pour une fois, quel soulagement, lui ont été épargnées les séances de caresses, d'embrassades et de compliments qu'elle redoute chaque semaine parce qu'elle en a assez d'entendre les mêmes éloges et les mêmes doléances, t'as ben grandi, t'es ben belle, manges-tu assez (la tante Teena); ta mère devrait te couper les cheveux, un peu, t'as l'air d'une *gipsy*, ta robe est trop courte (la tante Tititte). Sa mère les avait déjà envoyés se coucher, Théo et elle, lorsque la sonnette a retenti. Elle les croyait sans doute endormis. Mais Rhéauna a tout entendu, comme d'habitude. Et vers la fin de la partie, elles ont abordé un sujet qui préoccupe Rhéauna depuis près d'un mois et qui lui a fait dresser l'oreille : la guerre qui vient d'éclater en Europe.

D'abord incertaine de ce que ça voulait dire au juste (elle avait bien une idée de ce qu'était une guerre, mais pour elle ça se situait dans le passé, dans les livres d'histoire, des dates importantes qu'il ne fallait pas oublier, c'est vrai, tout en restant quand même juste des dates, une réalité nébuleuse, impalpable, qui ne la concernait pas et qui s'était toujours déroulée au loin), elle est allée consulter son vieux dictionnaire Larousse et, la définition bien assimilée, elle s'est ensuite mise à fouiller *La Presse* que sa mère achète tous les jours et qui y consacre une grande partie de sa première page depuis le début des hostilités. Et là, pour la première fois, parce que c'était écrit dans le journal du jour, parce que la date correspondait à sa réalité à elle et non plus à un passé éloigné et étranger, la guerre a pris toute son effroyable signification : quelque part, là-bas très loin, de l'autre côté de l'Atlantique, *maintenant*, des hommes se battent, des Allemands, des Anglais et des Français surtout, semble-t-il, c'est du moins ce qu'elle a compris, toutes sortes de machines de guerre ont été lancées, des villes entières ont été saccagées, des bateaux ont explosé en pleine mer et, c'est ça qui la tourmente tant, chaque jour on pose dans le journal la question à savoir si tout ça peut traverser l'océan et frapper ici, en Amérique du Nord, au Canada, à Montréal… Alors quand sa mère a ramené l'histoire du bateau allemand peut-être rempli de canons qui s'était trouvé dans le port de Montréal quelques semaines plus tôt, à la veille de la déclaration de la guerre, ses peurs sont revenues – ces cauchemars nouveaux qu'elle fait depuis peu, remplis d'explosions, de cris, de chairs déchiquetées et de sang qui gicle partout, l'angoisse qui lui tombe dessus sans prévenir et lui serre la poitrine au milieu de ses jeux ou de ses lectures – en même temps que cette idée fixe qui la hante depuis quelques jours et dont elle n'arrive pas à se débarrasser : sa mère, son frère et elles seraient plus à l'abri en Saskatchewan qu'ici. Il n'y a pas de fleuve Saint-Laurent, en Saskatchewan, il n'y a même pas de cours d'eau important, les bateaux de guerre ne peuvent donc pas s'y rendre, c'est vide, c'est loin, ça n'intéresse personne!

Elle s'approche du berceau de son frère, se penche. Elle ne peut pas le voir, il fait trop noir, mais elle aime l'écouter respirer tout en essayant de deviner sa petite silhouette immobile un peu plus pâle que le reste de l'obscurité qui les entoure. Parfois la respiration de Théo est entrecoupée de soupirs ou de légers grognements qui l'ont d'abord inquiétée lorsqu'elle est arrivée à Montréal, l'année précédente : elle croyait qu'il était malade, qu'il allait mourir, elle s'affolait, il lui est arrivé à de nombreuses reprises d'aller réveiller leur mère en pleine nuit. Elle a cependant vite compris, après quelques vertes semonces de Maria, qu'il rêve aux anges, que ses gigotements sont normaux, qu'un bébé ça peut faire des cauchemars comme tout le monde. Alors elle ne s'énerve plus lorsqu'elle vient le regarder dormir, elle le laisse couiner, agiter ses petits pieds, se retourner dans son lit avec des efforts inconscients. Des fois elle vient à son secours, le tourne sur le dos ou sur le ventre, remonte la couverture ou la retire s'il fait trop chaud. Elle sait qu'il devine sa présence, elle sent qu'il lui sourit dans son sommeil perturbé, qu'il lui tend les bras à elle, sa seconde mère.

Elle approche sa main, touche son front. C'est frais. C'est doux. Une boule d'émotion lui monte dans la poitrine, elle a de la difficulté à avaler, elle voudrait ne pas pleurer, mais elle sait que ça s'en vient, que c'est inévitable, que ça ne sert à rien de lutter. En attendant, elle presse son nez sur la bedaine toute ronde de son petit frère. Ça sent bon la poudre à bébé, un peu le pipi; ça sent la vie. Alors elle se met à chantonner cet air que grand-maman Simone entonnait dans leur chambre quand elle et ses sœurs s'ennuyaient trop de leur mère ou que l'une d'entre elles avait un gros chagrin : «Quand nous chanterons le temps des cerises, le doux rossignol, le merle moqueur seront tous en fê-ê-te.» C'est une chanson qui fleure bon le foin frais coupé, la soupe aux légumes et le café qui percole. C'est une chanson qui a aussi une odeur de nostalgie, les souvenirs imprécis qu'on n'arrive pas à retrouver, un manque inexprimable là, dans la région du cœur, une privation cuisante qu'on soupçonne d'être définitive et qui vous rend inconsolable. Avant, elle était privée de sa mère ; maintenant…

Où sont-elles, à cette heure ? Où sont-ils tous, Béa, Alice, grand-papa, grand-maman ? Le blé d'Inde doit avoir fini de pousser, les foins vont commencer bientôt, les silos vont se remplir de céréales, la petite école de rang va ouvrir ses portes, mademoiselle Patenaude va accueillir ses élèves sur le perron, droite et fière… Sa mère lui a dit que le soleil se couchait deux ou trois heures plus tard qu'à Montréal, là-bas, en Saskatchewan, qu'il était plus tôt qu'ici, qu'ils prenaient leurs repas longtemps après eux, qu'ils dormaient encore quand elle partait pour l'école, qu'ils venaient de finir de souper quand elle se couchait… Est-ce que c'est possible ? Que le soleil ne se couche pas partout à la même heure ? Ou alors est-ce que c'est une invention de sa mère pour l'empêcher de trop penser à eux, d'imaginer qu'elle fait la même chose qu'eux en même temps, qu'elle est plus en symbiose avec eux qu'avec elle ? Rhéauna se rappelle que sœur Marie-de-l'Incarnation lui a dit qu'elle allait leur expliquer les ciseaux horaires l'année prochaine – c'est des ciseaux qui coupent le monde en vingt-quatre parties différentes, pour les vingt-quatre heures de la journée, à ce qu'il paraît ; c'est donc vrai, ce n'est pas une invention de sa mère. C'est loin de la rassurer parce qu'elle va devoir continuer de calculer quelle heure il est là-bas chaque fois qu'elle va penser à eux.

Ah, ça c'est son petit cri quand il a faim; il faudrait qu'elle aille préparer son biberon. Il demande moins à boire, la nuit, depuis quelque temps, mais il lui arrive encore de pleurer et seul un peu de lait tiède peut le calmer. Il lui faut se dépêcher avant qu'il ne réveille leur mère. Et elle oublie de pleurer.

Elle sort de la chambre, ferme la porte de celle de Maria, allume la lumière de la cuisine. Maria a déjà posé un biberon dans un chaudron d'eau froide, au cas... Rhéauna n'a qu'à attiser le feu dans le poêle à charbon, ça ne sera pas long...

Et pendant que l'eau chauffe viennent les sanglots. Ça part tout seul, les larmes lui montent aux yeux, sa bouche se met à trembler. Elle doit s'appuyer contre le poêle tellement c'est pesant, là, sur son cœur, une main qu'on serre ou une pierre trop lourde posée sur sa poitrine. C'est puissant, ça vient de loin et ça épuise.

Tout ça parce qu'elle a compris une vérité terrible, ces derniers temps, qui l'a jetée dans un état de quasi-dépression qu'elle réussit encore à cacher à sa mère mais qui va finir par devenir évident, ou alors elle ne pourra pas s'empêcher d'exploser et ce ne sera pas beau à voir : Maria, au contraire de tout ce qu'elle a pu dire depuis un an, n'a pas l'intention de faire venir Béa et Alice de Saskatchewan. Du moins pas cette année. Le mois d'août est avancé, l'école va recommencer bientôt, si ses sœurs avaient eu à entreprendre le même voyage qu'elle, de Maria à Montréal, ce serait déjà fait, elles seraient là, elles partageraient la chambre de Théo avec elle, la maison serait remplie de leurs cris de surprise devant l'immensité de la ville et de leurs récits de ce qui s'est passé au village depuis un an. Il y aurait des valises partout, des jouets de petite fille traîneraient à travers la maison, les rires de Théo se mêleraient aux leurs. Mais voilà, il ne se passe rien. Même si Maria continue à promettre encore leur arrivée imminente – d'une façon de moins en moins convaincue, cependant, évasive et expéditive –,

Rhéauna sait bien que c'est impossible, qu'il est trop tard, que les arrangements n'ont pas été faits, qu'elle va rester toute seule encore au moins un an. Toute seule? Non. Il y a tout de même Théo…

Elle retourne dans leur chambre, le biberon de lait tiède à la main. Elle allume la lampe sur sa table de chevet avant d'aller se pencher de nouveau sur le lit. Théo est réveillé mais il ne pleure pas encore. Il a cependant cette petite grimace annonciatrice des grandes eaux et des protestations véhémentes d'affamé : son front est plissé, son visage tout rouge, ses pattes gigotent et ses mains s'agitent comme s'il voulait se saisir de tout ce qui l'entoure, n'importe quoi, ses toutous, les barreaux de son lit, les couvertures, pour le manger.

«Braille pas, braille pas, j'arrive… R'garde la belle bouteille… Hmm, ça va être bon, ça…»

Il la regarde avec ses grands yeux bruns, sourit en apercevant le biberon, tend les bras.

«J'ai jamais vu un petit cochon pareil. Qu'est-ce qui te prend, donc? Tu faisais pourtant tes nuits depuis quequ'temps, on avait enfin la paix…»

Elle le regarde téter pendant qu'elle tient le biberon. Il couine de plaisir en même temps qu'il suce son lait qu'elle a allongé d'un peu de sirop d'érable, juste un petit peu, juste pour dire que ça va goûter meilleur. Il plie les jambes, joue avec ses orteils, lance un petit pet qui éloigne sa sœur de son lit pour quelques secondes.

«En plus, j'vas être obligé de te changer de couche… Ton petit pot est acheté, t'sais, y est dans le fond du garde-robe, pis j'te dis que j'ai hâte de te montrer comment t'en servir… Mais ça a l'air que c'est pas encore le temps, que t'es encore trop jeune pour faire ça proprement…»

Elle appuie le menton contre le bord du lit à hauts montants, lui passe la main dans les cheveux. C'est un gros bébé, mais beaucoup de détails chez lui sont minuscules : ses mains, ses pieds – on dirait qu'ils ne changent pas pendant que le reste pousse presque à vue d'œil –, son nez qui n'est pas du tout celui d'un Desrosiers dont la patate, selon la tradition, est pourtant substantielle – celui de l'oncle Ernest en est le meilleur exemple –, mais une chose menue et retroussée, assez comique, qu'elle aime presser entre son pouce et son index. Et cette si belle bouche, bien dessinée et rouge comme du jus de fraises. Mais si petite qu'on peut se demander comment de tels hurlements peuvent en sortir.

«T'aimerais pas ça aller vivre au milieu d'un grand champ de blé d'Inde, avec *trois* grandes sœurs, un grand-père, une grand-mère, des animaux, une maison toute blanche qui sent toujours bon le bon manger? Pis une mère, si a' veut nous suivre... On t'achèterait un chien, y s'appellerait Prince ou ben Blackie, pis ça serait le grand amour de ta vie pour un bout de temps. C'est quasiment lui qui t'élèverait. Le monde entier aurait beau exploser, les Français pis les Allemands s'égorger pendant des années, nous autres on serait ben, à l'abri de tout ça parce que la guerre pourrait pas parvenir jusqu'à nous autres.»

Son biberon achevé, il commence à téter dans le vide, alors elle lui retire la bouteille avant qu'il n'avale trop d'air. Il est trop soûl pour protester.

«C'est fini, y en a pus, ça va aller à demain matin. Dors, à c't'heure, mais endors-toi pas avant que je t'te fasse faire ton rot...»

Elle le prend dans ses bras, l'appuie contre son épaule, lui donne quelques tapes dans le dos.

«Pis arrange-toi pas pour être malade sur ma jaquette neuve...»

Elle entend une sorte de hoquet suivi d'une sensation de chaleur mouillée sur son épaule.

«J'suppose que ça servait à rien de te le demander, hein...»

Ça a une petite odeur surette à laquelle elle n'a pas encore réussi à s'habituer. Elle redépose son frère dans son lit en fronçant le nez et va enfiler une chemise de nuit propre avant de se recoucher.

Cette nuit-là, ses rêves sont de nouveau faits d'explosions spectaculaires en rouge et noir, de panoramas entiers qui éclatent dans un bruit de tonnerre assourdissant mêlés de visions de paysages bucoliques représentant des plaines sans fin de blé doré caressé par un aimable vent au milieu desquelles quatre personnes, deux vieillards, deux enfants, la saluent de la main en l'appelant par son nom. Des vagues de fumée noire et asphyxiante sont suivies de douces ondulations d'épis, des bruits infernaux de plages de calme parfait. Elle bouge pendant des heures, elle repousse ses couvertures lorsqu'elle a chaud, elle les ramène sur elle lorsqu'elle a froid, elle geint, elle lance des cris angoissés qui réveillent son frère et le font pleurer, mais elle n'entend rien, elle est absente à toute réalité, perdue au milieu d'une bataille sanglante qui la terrorise, quelque part de l'autre côté de l'océan, ou bien noyée dans un champ de maïs trop tranquille pour ne pas être suspect, de l'autre côté du pays. Cette alternance de bruit et de calme, de lumières agressantes et de doux scintillements l'épuise, et lorsqu'elle se réveille, au petit matin, elle a l'impression d'avoir passé la nuit sur la corde à linge.

Pendant qu'elle prépare le gruau pour son petit frère, vers sept heures, elle prend une grave décision. Après ces rêves si intenses qu'elle en tremble encore, elle est convaincue que c'est son devoir de les sauver de la guerre, elle, sa mère, Théo. Il faudrait donc qu'elle les en éloigne. Après tout, si Maria n'a pas encore fait venir ses sœurs, c'est peut-être pour les protéger de ce danger qui les menace, sans toutefois avoir le courage de quitter Montréal elle-même parce qu'elle y gagne bien sa vie... Combien ça peut coûter, trois billets de train pour Saskatoon? Combien d'argent a-t-elle réussi à ramasser dans son cochon de porcelaine? Assez? Non? Elle va le casser. Tout de suite après le petit déjeuner, et pendant que sa mère dort encore, elle va casser son cochon, compter de combien d'argent elle peut disposer et... et quoi? Comment savoir? Quoi faire?

Traverser la ville. Voilà. Prendre son argent et emprunter la rue Dorchester vers l'ouest parce qu'elle sait que c'est par là que se situe la gare Windsor. Se rendre aux guichets et acheter trois billets pour Saskatoon. Devant le fait accompli, sa mère ne pourra rien faire d'autre que d'acquiescer et ils seront sauvés de la guerre...

Lorsque sa mère se lève, un peu trop tôt hélas, et se dirige vers la salle de bains pour y chercher des aspirines – elle et ses sœurs ont un peu ambitionné sur le gin Bols, la veille, et Maria se demande comment Teena et Tititte vont faire pour se rendre au travail si leur mal de bloc est aussi intense que le sien –, Rhéauna lui demande la permission de sortir pour quelques heures. Elle voudrait se rendre chez Dupuis Frères choisir des fournitures pour l'école. Ce n'est pas très loin, il n'y a aucun danger qu'elle se perde. Elle peut le faire toute seule, maintenant, elle est assez grande et, cette année, elle voudrait choisir ses cahiers et ses crayons sans l'intervention de Maria. Celle-ci a trop mal à la tête pour discuter et accepte en disant à sa fille qu'elle doit toutefois être de retour pour midi. Rhéauna répond qu'elle sera là bien longtemps avant midi, qu'elle s'occupera même de préparer le dîner pendant que sa mère se remettra de sa partie de cartes, et se sauve dans sa chambre en laissant son frère devant son bol de gruau.

Il lui faut trouver le moyen de briser son cochon sans faire trop de bruit. Ce qui n'est pas évident. Elle pourrait bien insérer un couteau dans la fente de la tirelire pour essayer de faire tomber les pièces de monnaie une à une, mais ça prendrait des heures et elle n'a pas de temps à perdre.

Elle prend son cochon, le tourne de tous côtés. C'est un cadeau que lui a fait sa tante Teena pour son anniversaire, presque tout de suite après son arrivée à Montréal, l'année précédente, en lui disant qu'elle devait essayer de le remplir pendant une année complète pour se payer un beau cadeau, le 2 septembre de l'année 1914, le jour de ses douze ans. Il est bien laid, mais elle n'a pas osé le dire en le recevant. Rose et bleu, un sourire bête, des oreilles pointues et une queue en tire-bouchon. Chaque fois qu'elle a pu, elle y a glissé une pièce en se disant que son prochain anniversaire serait sensationnel, avec plein de bonbons, de flûtes de papier, de serpentins, tout payé par elle.

Elle sourit. Qui sait, peut-être que son anniversaire sera fêté chez ses grands-parents, ses sœurs seraient folles de joie et il y aurait un gigantesque gâteau, celui que sa grand-mère appelle le gâteau 1-2-3-4 qui goûte si bon la vanille et qu'on mettrait trois ou quatre jours à manger… Non. Elle s'assoit sur son lit. Elle sait que c'est ridicule, que ce n'est qu'un rêve impossible, qu'elle ne peut pas obliger sa mère à déménager comme ça, tout d'un coup, juste parce qu'elle a peur de la guerre. Et que son cochon ne contient sans doute même pas assez d'argent pour payer un seul billet de train. Mais est-ce bien pour ça qu'elle s'apprête à briser son cochon de porcelaine, est-ce bien ça, la peur de la guerre, la vraie raison de son désir de fuite?

Elle retourne à la cuisine chercher Théo qui, juché sur sa chaise haute, joue avec le restant de soupane qui a durci au fond de son assiette et qu'il jette par terre en poussant des cris de joie. Il en a jusque dans les cheveux et, hilare et excité, ne semble pas s'en formaliser outre mesure. En le débarbouillant à l'aide d'un linge mouillé – il hurle, il se débat, il déteste qu'on lui nettoie le visage et aurait voulu qu'elle le laisse s'amuser avec ce nouveau jeu qu'il vient de s'inventer –, elle se souvient qu'il y a un marteau dans un des tiroirs de l'armoire de la cuisine. Elle ne voit pas d'autre moyen de briser son cochon et se dit qu'elle trouvera bien une façon de le faire sans réveiller sa mère… Elle le trouve presque tout de suite dans le tiroir du haut et revient vers leur chambre, Théo toujours hurlant et gigotant dans ses bras.

«Si tu réveilles pas moman avec tes cris, c'est pas un petit coup de marteau qui va le faire, certain!»

Mais la voix de sa mère lui parvient du fond de son lit.

«Si tu fais pas taire c't'enfant-là tu-suite, Nana, j'me lève pis j'vas l'étrangler moi-même!

— J'change sa couche, là, moman, y va se taire ça sera pas long…»

Elle dépose son petit frère par terre à côté de son lit.

«R'garde ben ça, Nana va casser son cochon pis ça va faire du bruit… Tu vas voir, tu vas aimer ça…»

On dirait qu'il l'a comprise parce qu'il arrête de pleurer et, la morve au nez, la regarde avec de grands yeux ronds.

«C'est le mot bruit qui t'a intéressé, hein… T'as ben raison, pour une fois qu'on a le droit de faire du bruit, profites-en… Pis tant qu'à faire, tu devrais te mettre à hurler pendant que je donne mes coups de marteau, moman se lèvera jamais pour venir te punir, a l' a trop mal à la tête…»

Elle a laissé le cochon de porcelaine sur son oreiller, ce qui lui donne une idée. Elle le pose sur le tapis, le couvre avec l'oreiller, puis s'empare du marteau.

«Tu le sais peut-être pas, mon Théo, mais ce que j'vas faire là est ben ben important…»

Un seul coup bien placé et le cochon explose sous l'oreiller. Ça fait un tout petit pouf plutôt décevant. Théo continue de regarder sa sœur comme s'il se demandait quand est-ce que le bruit promis va se produire.

Elle soulève l'oreiller. Des sous, beaucoup de sous, se mêlent aux débris de porcelaine bleus et roses. On aurait du mal à imaginer que tout ça a pu ressembler à un animal. Les oreilles, peut-être, ou le bout de la queue en tire-bouchon, ou le museau qui est resté intact. Elle pousse les tessons coupants, ramasse les sous. Des pièces de un cent, de cinq, de dix, de vingt-cinq, mais aucun gros dollar de métal – elle n'en a eu qu'un, à Noël, et l'a vite dépensé sans même penser à le mettre dans sa tirelire.

«Mon Dieu, j'en ai ben plus que je pensais!»

Sept dollars et onze sous exactement. C'est une somme considérable pour elle, elle n'a jamais eu autant d'argent en sa possession, mais elle ignore si c'est assez pour payer trois allers simples pour la Saskatchewan. Elle se doute bien que non, que son projet est ridicule et voué à l'échec, mais sept dollars et onze sous, ce n'est tout de même pas rien, ça pourrait les mener loin!

Puis elle se rend soudain à l'évidence : elle n'a pas vraiment eu l'intention de payer un billet de train à sa mère. Parce que Maria n'accepterait jamais de partir? Peut-être. Mais surtout parce qu'elle a envie de s'enfuir toute seule avec Théo. De se sauver avec lui à l'autre bout du monde. Pour retrouver son paradis perdu. Sans leur mère qui, de toute façon, ne pourrait jamais y être heureuse à cause des mauvais souvenirs qu'elle en garde et qui remontent parfois à la surface, en brusques éclats de voix, quand elle a trop bu. Rhéauna n'en a pas honte, elle ne se trouve pas sans-cœur ou ingrate, elle fait juste une constatation qui, tout en la laissant perplexe, ne lui cause aucune culpabilité. Maria va comprendre. Que c'est pour leur bien. À tous les trois. Ou non. Elle va acheter deux billets, elle va les cacher, et demain, ou après-demain… Elle ne veut pas réfléchir plus loin, elle sait que ça la découragerait, que l'énormité même du projet l'empêcherait de bouger. Et elle a besoin de bouger, d'essayer, au moins, de faire quelque chose pour retourner là-bas, chez elle.

Elle reprend Théo dans ses bras.

«J'vas aller te coucher dans le lit de moman, Théo. Tu sais comment est-ce que t'aimes ça… J'vas te laisser avec un beau biberon pis tu vas t'endormir, O.K.?»

* * *

Rhéauna enfile sa robe de coton rouge un peu courte parce qu'elle a beaucoup grandi durant l'été, mais dans laquelle elle se trouve encore belle. Qui sait, c'est peut-être la dernière fois qu'elle la porte. Elle sort ensuite ses souliers de cuir verni du dimanche et dépose les sept dollars et onze sous dans son porte-monnaie qu'elle glisse dans un petit sac à main à longue courroie qu'elle va porter en bandoulière. Pour une fois, il va contenir autre chose qu'un mouchoir propre et quelques sous.

Bon. Voilà. Ça y est. Elle est prête.

Avant de quitter sa chambre, elle se regarde dans le petit miroir au-dessus de son coffre à jouets.

Prête pour la grande aventure? Prête pour la grande aventure.

Elle sait que c'est faux. Qu'elle ignore dans quoi elle s'embarque au juste. Elle sort tout de même de sa chambre du pas résolu de quelqu'un qui est sûr de ce qu'il fait et qui est convaincu du bien-fondé de ses agissements.

La voix de sa mère, encore.

«Tu pars déjà?»

Rhéauna ouvre la porte de la chambre de Maria.

«Ben oui.

— Y est ben que trop de bonne heure. Les magasins seront pas ouverts à c't'heure-là, voyons donc, y est même pas neuf heures!

— J'attendrai à la porte…

— Tu sais que j'aime pas ça quand tu te promènes tu-seule dans la rue, comme ça…

— Y a pas de danger, moman, j'vas prendre tu-suite la rue Sainte-Catherine. Pis c'est juste à quequ'coins de rue d'ici… J'vas marcher lentement, pis quand j'vas arriver, Dupuis Frères va

61

probablement être ouvert. J'te promets que je sortirai pas mon argent de ma sacoche tant que j'aurai pas choisi quequ'chose à acheter... Pis que ça va être juste des affaires pour l'école.»

Théo vagit à côté de Maria qui lui pose une main sur le ventre.

«J'espère qu'y a pas trop mangé de gruau, des fois y a de la misère à le faire passer...»

Elle se penche sur lui, dépose un baiser sur son front.

«Y est pas beau ordinaire! R'garde ça comme c't'enfant-là est beau...»

Le cœur de Rhéauna fond dans sa poitrine devant la tendresse que sa mère manifeste à son petit frère.

Elle n'a pas le droit de les séparer.

Alors elle va convaincre sa mère de les suivre, c'est tout. Après avoir acheté les maudits billets de train, bien sûr.

Ne pas réfléchir plus loin. Agir. Vite, pense pas, fonce...

«J'vas revenir pour le dîner... Ben avant ça, même...

— J'espère, parce que sinon tu vas le regretter...»

En descendant l'escalier extérieur qui mène du balcon au trottoir de ciment tout neuf, Rhéauna pense au Petit Chaperon rouge et sourit. Elle part à l'aventure, elle aussi, mais ce n'est pas une forêt qu'elle va traverser, c'est une ville, et ce n'est pas un panier de provisions qu'elle va porter à sa grand-mère, c'est un petit-fils!

Montréal, octobre 1912

«Quelle gare?

— La gare Windsor.

— La gare Windsor à Montréal?

— Ben oui.

— Qu'est-ce tu fais là?

— J'descends d'un train, c't'affaire!

— Tu viens d'arriver à Montréal?

— Ben, ça a des chances d'être ça que ça veut dire, oui!»

Maria a hésité avant de composer le numéro de téléphone, maintenant elle le regrette. Elle n'a jamais été proche de son frère Ernest, et ce ne sont sans doute pas les douze ans qu'ils viennent de passer séparés qui ont pu arranger quoi que ce soit entre eux. Il était arrogant jeune, il a dû le rester. Comme elle, d'ailleurs.

«Qu'est-ce que tu fais à Montréal? Es-tu venue en vacances?

— Penses-tu que j'ai les moyens de me payer des vacances? J'travaillais dans une factrie de coton, si tu te souviens bien, Ernest, mes vacances j'les passais enfermée chez nous à lire des romans plates parce que j'avais pas les moyens de faire autre chose de plus intéressant!

— Ben, qu'est-ce que tu fais ici, d'abord?»

Une chose est évidente: la voix est moins amicale que lorsqu'il l'a appelée à Providence. Elle n'y sent aucune chaleur, aucune sympathie, c'est plutôt la froideur qui prime, cette fois. Il a peut-être déjà deviné pourquoi elle lui téléphone et s'apprête à lui raccrocher au nez. Non, il ne ferait quand même pas ça. Pas à sa propre sœur qu'il n'a pas vue depuis si longtemps…

«Chus partie définitivement de Providence…

— Comme ça, sur un coup de tête!

— Ben non, j'y pensais depuis un bout de temps…

— T'arais pu nous avartir avant de prendre le train pour Montréal… Que c'est ça, c't'histoire de surprise-là, là… Arriver, comme ça, sans avartir parsonne…»

Elle a envie de lui dire de but en blanc la raison pour laquelle elle a quitté Providence, qu'elle ignorait elle-même la veille qu'elle allait partir, mais se retient. Pas tout de suite. Il faut quand même le préparer, ne pas tout lui déverser ça sur la tête d'un seul coup, le pauvre homme, surtout pas au téléphone.

«Écoute, Ernest, j'viens de passer des heures pis des heures dans des trains qui allaient dans toutes les directions tout en se rapprochant vaguement de temps en temps de Montréal, j'ai traversé j'sais pus trop combien d'États, en tout cas une bonne partie de la Nouvelle-Angleterre, j'ai mal mangé, j'ai presque pas dormi, j'ai eu mal au cœur, chus raquée, j'me sens pus les fesses ni le dos, c'est pas le temps de me faire un sermon…

— J'te fais pas un sermon…

— Non, mais je le sens venir…

— Écoute, Maria, pourquoi t'as appelé, là? Tu m'as quand même pas téléphoné juste pour me dire de pas te faire de sermon!»

Toujours la même mauvaise foi dans l'argumentation, elle le reconnaît bien là. Aiguiller la conversation sur un autre sujet pour éviter le principal. Elle a envie de l'envoyer chier et de lui raccrocher la ligne au nez avant qu'il ne le fasse lui-même…

«Quand tu m'as appelée, à Providence, tu m'as dit que si j'avais besoin d'aide…»

Il la coupe avant qu'elle ne finisse sa phrase.

«En plus, t'as besoin d'aide?

— C't'effrayant comme t'as l'air content de m'entendre!»

Bon, voilà qu'elle utilise le même stratagème que lui, maintenant.

«J'ai pas dit que j'étais pas content de t'entendre, mais j'arais jamais pensé de t'entendre de la gare Windsor, c'est toute! Du fin fond du Rhode Island, oùsque t'es t'allée te cacher y a des siècles, peut-être, mais pas d'une gare de Montréal! Si tu m'avais dit que tu t'en venais, j'arais été t'attendre à la gare, t'arais pas eu besoin de m'appeler, c'est pas dur à comprendre!

— Ben, c'est un peu pour ça que je te téléphonais, justement... Pourrais-tu venir me chercher?

— Te chercher? Comment, te chercher? J'ai pas de char, chus pas millionnaire moé non plus! Pis te chercher pour t'emmener où? T'as quand même pas envie de venir coucher icitte?»

Elle ne répond pas. Il a peut-être compris en le disant que c'est en effet ce sur quoi elle comptait. Elle l'entend presque réfléchir.

«Maria? Es-tu toujours là?

— Ben oui. Écoute... Juste pour à soir... j'aurais besoin d'aller rester chez vous juste pour à soir, le temps de me reposer, un peu, pis demain j'vas aller me louer une chambre quequ'part avant de commencer à me chercher une job...»

Elle entend la voix d'une femme, derrière lui, qui parle en anglais. Sans doute sa belle-sœur, Alice, qu'elle n'a jamais connue parce qu'Ernest l'a rencontrée à Winnipeg alors que Maria était déjà installée à Providence...

«C'est ta femme que j'entends?

— Oui. A' veut savoir qui c'est qui appelle à c't'heure-là...

— Y est pas si tard.

— Pour elle, oui.

— A' se couche à l'heure des poules?

— Non, pour elle, les poules se couchent tard!»

Ils rient tous les deux. Tiens, tout de même, un début de complicité. Il faut en profiter.

«Expliques-y que ta sœur Maria, du Rhode Island, vient d'arriver à Montréal, a' doit ben connaître mon existence, non?

— Pour la connaître, a' la connaît, mais chus pas sûr que ça pourrait t'aider…

— À cause de ce que tu y as dit à mon sujet?

— Moé pis nos deux sœurs, oui…

— Vous êtes pas gênés…

— Écoute, Maria, nous as-tu déjà donné une seule raison de dire du bien de toé? Pis je vois pas pourquoi on parle de ça au téléphone…

— C'est justement, on pourrait s'expliquer en personne…

— Essaye pas, Maria, j'm'en rappelle que t'es ratoureuse.»

La complicité a été de courte durée.

La voix de sa femme, encore. Il lui dit en anglais de se taire. Sur un ton qui ramène à Maria le souvenir d'un jeune homme insolent qui s'accordait le droit d'être bête avec tout le monde parce qu'il fréquentait l'école de la police montée. Une énorme pièce d'homme, un adolescent attardé qui se retrouvait dans un corps encombrant, ignorant de sa force et qui pouvait devenir dangereux quand on le contredisait trop longtemps. La façon qu'il a de traiter sa femme suggère qu'il est toujours le même, prétentieux et supérieur, et que la tendresse manifestée à sa sœur quelques mois plus tôt n'était peut-être qu'un moment de faiblesse. Juste le policier en lui, en fin de compte, le fouilleur d'archives, le brasseur de papiers, qui était content d'avoir retrouvé sa trace après des années de recherches…

«J'y ai dit. On peut pas dire que ça l'excite beaucoup de te voir retontir ici.

— J'comprends l'anglais, Ernest, j'arrive des États-Unis! Pis a' l' a rien répondu, tu peux pas savoir c'qu'a' pense.

66

— Tu y as pas vu l'air, toé… »

Il n'y a rien de plus gênant qu'un silence au téléphone. Et celui-là s'étire dangereusement. Les positions sont claires, Maria s'est imaginé des choses et Ernest a pris une décision. Et quand Ernest prend une décision, c'est définitif, immuable, sans appel.

Maria aspire une grande goulée d'air.

« Bon, écoute, chus désolée d'avoir pensé que mon propre frère serait content de me revoir après toutes ces années-là…

— Pas de chantage, Maria, ça non plus ça pogne pas!

— Ben, qu'est-ce que tu veux que je fasse, que j'te raccroche la ligne au nez parce que tu veux rien savoir de moi? »

La voix d'Alice, encore. Toute menue, comme soumise. Bien sûr, il fallait s'y attendre, il a marié une femme soumise, une souris qui n'a jamais pris une décision de sa vie, qui dépend de lui pour exister, pour respirer, et qui, en plus, se couche avant les poules!

« Écoute, Maria, Alice me dit que c'est correct. Pour à soir. Qu'on peut pas te laisser comme ça tu seule dans' rue… »

Son opinion au sujet de sa belle-sœur change en un quart de seconde. Quelle femme merveilleuse, quelle générosité! Elle a envie de rire devant sa propre volte-face hypocrite.

« Bon, O.K. Merci. J'vous dérangerai pas, j'vas dormir n'importe où… Oùsque vous restez?

— C'est loin, c'est à Ville-Émard. Prends les p'tits chars.

— Les quoi?

— Les p'tits chars. Les tramways… Écoute, prends le p'tit char Sainte-Catherine vers l'ouest jusqu'au bout, à Atwater, pis j'vas aller te chercher…

— T'as pas de char…

— On va prendre un taxi.

— J'ai pas les moyens de prendre des taxis, Ernest!

— Fais ce que je te dis, pis arrête d'argumenter! Jésus-Christ! T'as pas changé, hein, t'es toujours pareille, y faut toujours que t'ajoutes quequ'chose à ce qu'on dit pour avoir le dernier mot!

— Mon Dieu, Ernest, j'ai juste dit que j'avais pas d'argent pour prendre un taxi! Toi non plus t'as pas changé, hein! T'es pas obligé, tu sais! J'te demande pas de me promener en taxi à travers la ville de Montréal! J'peux aller me louer une chambre, on peut attendre à demain pour se voir, on peut pas se voir pantoute, si tu veux pas!»

Bon, ça y est, ils se sont pompés tous les deux. Autrefois, ça pouvait durer des heures, et il était arrivé à plusieurs reprises que ça finisse mal.

«Maria, c'est toi qui m'appelles pour me demander de l'aide, là, ça fait que prends-la pis discute pas! T'as juste à monter la rue Windsor jusqu'à Sainte-Catherine, pis prendre le petit char en direction de l'ouest, c'est pas compliqué! Ta valise est-tu ben grosse?

— Chus capable de la transporter, j'ai pas apporté grand-chose...

— Bon, O.K, j'vas être à la station Atwater dans une demi-heure, trois quarts d'heure... De quoi t'as l'air, au juste, que je te reconnaisse?

— Tu le verras quand tu me verras, gros verrat!

— Comment ça se fait que tu sais que chus gros?

— Tous les hommes sont gros, chez les Desrosiers, je vois pas pourquoi tu ferais exception! À moins qu'y vous mettent automatiquement au régime, dans la police montée, pour que vous soyez plus beaux dans vos belles uniformes rouges!»

Il raccroche sans rien ajouter.

Elle a encore eu le dernier mot. Bien piètre récompense.

Le découragement qui tombe sur elle la secoue. Elle appuie le front contre l'appareil téléphonique et essaie de prendre de grandes respirations. Elle voudrait mourir là, au milieu de la gare Windsor.

Ce qui l'attend, et à quoi elle s'est empêchée de penser depuis la veille, est trop énorme, elle s'en rend maintenant compte. Elle est quand même trop intelligente pour avoir pris une décision aussi folle, non? Elle n'a jamais été une rêveuse, elle a toujours essayé de garder le contrôle sur ce qui pouvait lui arriver, malgré ses coups de tête, alors pourquoi ce départ précipité, cette fuite qui lui ressemble si peu devant un problème dont la solution ne se trouve certainement pas ici, à Montréal? Non, la seule solution serait sans doute de reprendre le train pour Providence, de retourner à son travail en prétextant une maladie passagère quelconque, d'aller voir madame Bergeron et ses maudites aiguilles à tricoter, d'avorter sans le dire à monsieur Rambert. Non.

Non.

Continuer à ne pas réfléchir, même si ça ne lui ressemble pas. Se laisser aller. Laisser la vie suivre son cours. Non, ça aussi c'est trop bête. Alors, quoi? Où va-t-elle mettre cet enfant au monde, dans quelles circonstances, avec quel argent?

Elle se précipite vers les toilettes des dames et vomit pendant de longues minutes avant de sortir de la gare.

* * *

Aussitôt éloignée des environs de la gare achalandée et bruyante, Maria se rend compte que la rue Windsor est plutôt tranquille. Des maisons victoriennes à toits pointus et corniches de toutes sortes sont en partie cachées par de magnifiques arbres séculaires qui ont déjà perdu la presque totalité de leurs feuilles. L'automne est plus avancé qu'à Providence et elle a été obligée de remettre son manteau dont elle a relevé le col à cause du vent frisquet, insistant et sec.

Sa valise n'est pas trop lourde, elle la porte sans difficulté. Elle trouve tout de même étrange de ne pas avoir accumulé plus de choses en vingt ans; enfin, de choses essentielles qu'elle n'a pas voulu laisser derrière elle. Quelques belles robes, un seul chapeau, celui qu'elle porte, un coffret de cèdre – pas celui de monsieur Rambert, trop encombrant – rempli de bijoux sans grande valeur, mais qu'elle trouve jolis et qui lui vont bien. Des sous-vêtements parce qu'on ne peut pas s'en passer. Plusieurs paires de gants, preuves, en tout cas à Providence, ville bourgeoise, qu'on a affaire à une vraie dame. Un seul parfum, un gros flacon d'une eau de tilleul, bon marché mais pas trop envahissante, qu'elle porte depuis des années et dont elle ne savait pas si elle allait en trouver à Montréal. Ses autres possessions, les meubles pour la plupart bancals achetés à rabais, les tapis miteux, les reproductions accrochées aux murs plus pour les habiller ou cacher les affreux papiers peints que par goût de la décoration, tous les cossins glanés çà et là selon ses besoins au fil des années, empilés n'importe comment, parfois oubliés dans leur coin et qu'elle n'a pas reconnus en rentrant chez elle, la veille, elle a tout abandonné sans aucun regret. Sans même verrouiller la porte, elle est partie comme une voleuse, sans note pour le propriétaire qu'elle a de toute façon toujours considéré comme un voleur. Elle a répété ce qu'elle a fait il y a douze ans lorsqu'elle a quitté son village après une engueulade avec sa famille, la rancœur au ventre, brouillant les pistes afin qu'on ne la retrouve jamais, se croyant enfin libre. Elle a laissé la Saskatchewan derrière elle pour trouver la liberté, et c'est l'esclavage qu'elle a connu. Elle a cru quitter l'esclavage, la veille, mais dans quoi va-t-elle tomber? Surtout dans l'état où elle se trouve? Est-ce que les coups de tête se paient toujours trop cher?

La soirée est belle, ça sent les feuilles mortes qu'elle pousse avec ses pieds pour se frayer un chemin, et la pluie récemment tombée qui n'a pas eu le temps de sécher. Quelqu'un à la gare lui a expliqué qu'elle se trouve dans la partie ouest de la ville, la plus riche, qu'elle n'est pas très loin de la rue Sainte-Catherine, qu'elle n'aura pas à attendre longtemps parce que les petits chars y sont fréquents. Elle sourit malgré elle. Les petits chars, encore. Quelle drôle d'expression. S'il y a des petits chars, c'est qu'il y en a aussi des gros. Alors, c'est quoi, les gros chars? Des gros tramways? Il y a donc des petits tramways et des gros? Elle se dit qu'elle va être obligée de s'habituer au français d'ici après en avoir tant arraché avec celui de la Nouvelle-Angleterre, si différent du sien. Mais d'après ce qu'elle a entendu de son frère, la différence de langage entre Montréal et Providence est moins grande qu'entre la Saskatchewan et la Nouvelle-Angleterre. Il y a plus de Canadiens français de l'Est qui sont allés s'installer en Nouvelle-Angleterre que d'habitants de l'Ouest, comme elle, plus rares. Et, après tout, le français reste le français quelle que soit la façon de le prononcer.

Elle traverse Dorchester, une rue large, très éclairée; une passante, une femme corpulente avec un vrai accent français de France, un peu comme celui de ses beaux-parents, lui dit que la rue Sainte-Catherine est la prochaine, au nord, qu'elle ne peut pas la rater.

Elle passe devant un magnifique hôtel, l'hôtel Windsor, situé en face d'un assez grand parc, désert à cette heure. Elle se dit qu'une seule nuit dans cet endroit lui coûterait une bonne partie de sa fortune, songe quelques secondes à faire une folie, finit par sourire en haussant les épaules. Elle s'arrête tout de même devant la porte principale, étire le cou pour essayer de voir à l'intérieur, puis finit par s'éloigner sous le regard sévère du portier qui la juge à sa mine défaite et à sa valise de carton bouilli.

Elle a beaucoup entendu parler de la Catherine – comme les Montréalais l'appellent – par les nouveaux arrivants avec qui elle a travaillé au cours des années et qui la décrivaient comme la huitième merveille du monde. (Ceux de la ville de Québec parlaient de la même façon de la rue Saint-Jean.) C'est la grande artère marchande de Montréal, animée, assourdissante, la circulation y est impossible, semble-t-il, un mélange de carrosses, de cabriolets, de tramways, de voitures à chevaux, d'automobiles; on y trouve de tout, jusqu'à des fruits et des légumes qui ne poussent pas au Canada à cause de l'hiver. À des prix prohibitifs, bien sûr. Des oranges. Des bananes. Des citrons. Des ananas. Un souvenir lointain : «Avez-vous déjà mangé une ananas, madame Rathier? Y paraît que ça a pas de bon sens comment c'est bon!» Tout y est beau à ce qu'on dit. Et cher. Maria est impatiente de vérifier sur place – elle va peut-être apercevoir un ananas dans une vitrine, elle n'a jamais pensé à en chercher un, à Providence – et hâte le pas. Des lumières luisent droit devant elle, elle y est presque…

En débouchant dans la rue Sainte-Catherine, elle est un peu déçue. Il y a beaucoup de lumière, c'est vrai, la circulation est dense, ça sent bon la crotte de cheval qu'un vieux monsieur est en train de ramasser avec une pelle et un seau en louvoyant entre les carrosses qui caracolent et les voitures qui klaxonnent, les trottoirs, tous en ciment, sont d'une largeur impressionnante, mais elle se serait attendue à quelque chose de plus fou, à une espèce de fête perpétuelle, une veille de Noël sans fin parce que c'est comme ça qu'on la lui avait décrite, cette mythique artère, le cœur de Montréal, ses Champs-Élysées. C'est moins large qu'elle ne l'aurait cru, pas aussi bruyant, les vitrines de magasins ne sont pas toutes éclairées et il y flotte en fin de compte une sorte de brouhaha provincial pas très différent de celui des rues commerciales de Providence. Montréal est quand même la métropole du Canada, son port le plus important, sa ville industrielle la plus florissante! La deuxième ville française du monde, à ce qu'on dit! Elle mériterait un centre-ville plus grandiose que celui-là, non? Maria est peut-être trop fatiguée pour tout voir, après tout, pour enregistrer ce qu'il y a de beau, d'unique devant ses yeux. Elle a vu trop grand et, comme d'habitude, se retrouve devant une version tronquée de ses rêves. L'histoire de sa vie, un concentré de ce qui lui arrive tout le temps, depuis toujours.

Elle dépose sa valise. Bon, où est l'ouest, maintenant? Et où prendre le tramway? Est-ce qu'il faut qu'elle le hèle ou qu'elle l'attende au coin d'une rue? Elle le demande à un jeune homme pressé qui la regarde comme si elle sortait d'un trou dans le trottoir jusqu'à ce qu'il aperçoive sa valise.

«Tu viens d'arriver?»

Elle a envie de le gifler. C'est la première fois qu'un parfait inconnu la tutoie en pleine rue. Les Montréalais sont-ils tous aussi impolis?

Il lui explique cependant de façon très gentille et détaillée comment et où prendre le tramway. Elle suppose qu'elle devra s'habituer à ça aussi, le tutoiement généralisé dans une ville où ce n'est pas considéré comme cavalier.

«T'arrives d'où? Es-tu juste en vacances ou ben si t'es venue t'installer?»

Elle traverse déjà la rue, sa valise à la main. Un taxi lui offre de la prendre, elle répond qu'elle s'en va trop loin; le chauffeur lui demande où, elle répond à Ville-Émard; il détourne la tête, la voiture prend de la vitesse, disparaît dans la circulation. Bon, quoi encore? Ville-Émard, est-ce un quartier mal famé où même les chauffeurs de taxi les plus aguerris refusent de se rendre? Il ne manquerait plus que ça!

Une énorme machine de métal vert et jaune s'approche en crachant des étincelles. Enfin quelque chose de plus gros qu'à Providence, où les tramways sont tout petits. C'est gigantesque, menaçant, ça fait un bruit infernal en freinant, on dirait un gros wagon de train qui avance tout seul, sans locomotive. La porte s'ouvre en grinçant, un marchepied en fer forgé se présente à elle. Le chauffeur se penche dans sa direction.

«Votre valise est trop grosse, montez par en arrière!»

Monter par en arrière? Ah oui, il y a une autre porte, à l'arrière de la machine. Elle court, grimpe sur le marchepied, dépose sa valise à côté d'un gros monsieur à casquette galonnée qui trône dans une sorte de cabine de bois verni semblable à une chaire d'église. Il lui sourit.

«Vous venez d'arriver par la gare Windsor? Je suppose que vous savez pas combien ça coûte?»

Avant même qu'il ne finisse sa question, elle se rend compte qu'elle n'a pas d'argent canadien. Elle a oublié – en fait, elle n'a pas pris le temps – de changer de l'argent américain avant de quitter Providence. Elle n'écoute pas le prix annoncé, s'appuie contre la tribune, découragée.

«Vous allez me trouver folle, mais j'ai pas d'argent canadienne. J'ai oublié. J'y ai pas pensé… Je le sais que c'est fou, mais j'y ai pas pensé!»

Il la dévisage, les sourcils froncés.

«Vous avez pas d'argent canadien ou ben vous avez pas d'argent pantoute?»

Elle sursaute, piquée au vif.

«J'en ai, de l'argent!»

Elle ouvre son sac à main, sort son porte-monnaie.

«T'nez en v'là. J'en ai en masse. Mais, vous voyez ben, c'est de l'argent américaine!»

Il soupire, déchire un ticket, le lui tend.

«Donnez-moi cinq cennes, pis on en parle pus.»

Elle se doute que c'est trop, mais elle n'a pas le choix, paye et va s'asseoir sur un des bancs en paille tressée usés jusqu'à la corde qui ont pris avec le temps une vilaine teinte brunâtre.

C'est un vieux tramway ouvert; Maria est obligée de remonter son col de manteau pour se couvrir le cou et les oreilles. Qu'est-ce que ce doit être en plein hiver! Mais peut-être que ces machines ne servent que durant les belles saisons, qu'elles sont remplacées par des tramways fermés et, c'est à souhaiter, chauffés, quand arrivent les grands froids. Elle se dit que l'heure de retirer de la circulation ce vieux tas de fer rouillé qui avance sur ses rails rendus luisants par l'usage approche sans doute à grands pas. Il ira ensuite se cacher dans un quelconque garage pour l'hiver qui s'en vient. En attendant, on y gèle tout rond.

Les quelques passagers, emmitouflés dans leurs manteaux comme elle, gardent les yeux baissés sur leurs genoux. Personne ne lit, personne ne regarde dehors. Ce qu'on y voit est pourtant intéressant. Maria se laisse enfin aller à admirer les grands magasins – elle passe devant les splendides vitrines d'Ogilvy où, elle ne le sait pas encore, travaille sa sœur Tititte – et l'incroyable diversité des moyens de transport qui encombrent la rue Sainte-Catherine. Ça bouge, ça crie. En plus de la crotte de cheval qu'elle a vite reconnue en débouchant de la rue Windsor, ça sent le pot d'échappement, parce que les voitures sont beaucoup plus nombreuses ici qu'à Providence. Une odeur désagréable, piquante, qui lui fait sortir un mouchoir de son sac. En se mouchant, elle s'aperçoit que les femmes autour d'elle ne portent pas de gants. Elle en est presque choquée. Après tout, ces femmes, de toute évidence des ouvrières qui rentrent du travail et dont elle fera peut-être partie dans pas longtemps, n'ont peut-être pas les moyens de se payer des gants pour sortir de chez elles. Elle repense à l'hiver. Qu'est-ce qu'elles font, l'hiver? Qu'est-ce qu'elle fera, elle-même, avec ses petits gants de fil blanc? Elle regarde en direction de sa valise qu'elle a laissée à côté du vendeur de tickets. A-t-elle pensé à y mettre des gants de laine? Sans doute pas.

Le tramway fait un soubresaut en couinant, s'arrête.

Le conducteur se lève de son siège, s'étire en posant ses mains à la hauteur de ses reins.

«Terminus! Tout le monde descend!»

Déjà! Maria croyait se rendre beaucoup plus loin à l'intérieur de l'île de Montréal. Elle jette un coup d'œil dehors. Cette place bordée de jeunes arbres est trop minuscule pour être considérée comme un vrai parc. Les autres passagers descendent; elle les laisse passer tout en continuant de lorgner sa valise. Lorsqu'elle se retrouve seule, elle se lève, s'empare de son bagage.

«J'espère que vous savez oùsque vous vous en allez. Y commence à être pas mal tard…»

Elle dépose son bagage sur le marchepied.

«Oui, oui. Mon frère est supposé de m'attendre ici.

— L'avez-vous vu?

— J'ai pas regardé.

— Y est peut-être pas encore arrivé…

— Ça se peut.

— C'est plate qu'on vire le p'tit char de bord pis qu'on reparte tu-suite parce que je vous aurais ben offert de l'attendre avec vous…»

Elle le remercie d'avoir surveillé sa valise avant de descendre du tramway sans lui jeter un seul regard. Surtout, ne pas l'encourager.

«Une belle femme comme vous, faut pas laisser passer ça!»

Il doit être bien mal pris, le pauvre : elle se sent tout sauf belle après le voyage qu'elle vient de faire… Un autre ratoureux de la grande ville qui ne peut pas voir passer une femme dans son champ de vision – quelle que soit son apparence – sans lui chanter la pomme. Il doit en faire, des compliments, dans une journée de travail à se barouetter comme ça d'un bout à l'autre de la rue Sainte-Catherine! Elle en a connu des fanfarons comme lui, à la manufacture, des petits boss qui profitaient de leurs petits pouvoirs, race d'hommes méprisables qu'elle balayait d'un geste de la main et s'arrangeait pour oublier, si elle le pouvait, aussitôt leurs compliments et leurs sous-entendus terminés. Cette fois, pourtant, elle ne peut pas s'empêcher de sourire et elle cache sa bouche avec sa main gantée.

Une chose incroyable se produit alors. Juste comme elle vient de monter sur le trottoir à la recherche d'un banc où attendre Ernest, le tramway tourne sur lui-même! Elle n'a jamais vu une chose pareille. À Providence, elle habitait loin de l'extrémité d'une ligne de tramway et ne s'est jamais demandé comment ils faisaient demi-tour... Après avoir fouaillé dans les rails, plus nombreux à cet endroit, à l'aide d'un long levier de métal, le conducteur et le vendeur de tickets poussent en sacrant et en suant sur le côté avant de la machine. Celle-ci se met à tourner sur une plaque de bois vermoulu qui geint et qui craque. Quand ils ont terminé, ils regardent dans sa direction, sans doute pour vérifier si elle les a admirés dans leur numéro d'hommes forts. Le vendeur de tickets lui fait un petit salut de la main suivi d'une légère courbette.

«Ça prend du muscle pour être conducteur de tramway, vous savez! Si vous avez besoin d'un vrai homme...»

Ils éclatent tous deux de rire, remontent dans leur machine après avoir replacé la roue à gorge du trolley sur le fil qui la domine et la suit d'une extrémité à l'autre de la ligne. Quelques étincelles s'échappent au moment où la roue touche le fil électrique et Maria pense à la peur que cela lui occasionnait les premières fois qu'elle a pris le tramway, là-bas, d'abord à Boston, ensuite à Providence.

Les deux hommes lui font un signe de la main. Familiers mais gentils. Elle aura au moins appris ça des Montréalais, ce soir... En tout cas, ils ne l'ont pas tutoyée comme l'autre, là, le jeune arrogant de tout à l'heure.

Elle regarde autour d'elle. La petite place est vide. Elle se retrouve au milieu de nulle part, dans le froid, en bout de ligne de tramway, dans une ville inconnue, avec la nausée qui la guette à tout moment, à attendre un frère qu'elle ne reconnaîtra sans doute pas et qui va peut-être la traiter comme une étrangère. Quel voyage réussi...

Ernest a-t-il lui aussi pris un tramway pour sauver de l'argent? Il doit pourtant bien gagner sa vie, dans la R.C.M.P. À moins que les gratte-papier ne soient moins bien traités que les valeureux soldats en rouge qui font la fierté de l'Ouest canadien du haut de leurs fringants chevaux. Au fait, elle se trouve dans l'est du Canada, non? Qu'est-ce que la police montée fait ici? Elle croyait que c'était un «phénomène» des provinces de l'Ouest...

Elle se demande si elle va attendre longtemps. Est-ce que Ville-Émard est très éloignée? D'abord, est-ce une ville à l'extérieur de Montréal ou un quartier isolé? Elle est sur le point de s'installer sur un banc de bois – tout en espérant qu'elle ne s'y endormira pas –, lorsqu'un taxi s'arrête à sa hauteur dans une impressionnante pétarade et un nuage de fumée nauséabonde. Elle se retourne, se penche; est-ce qu'elle va retrouver son frère après toutes ces années? Quelques secondes passent. Quelqu'un la regarde à travers la vitre levée. Puis la porte s'ouvre.

Non. L'homme qui sort de la voiture, massif, maladroit, essoufflé même s'il n'a déployé aucun effort dans les minutes qui ont précédé, n'a rien à voir avec le vigoureux campagnard qu'elle a laissé autrefois en Saskatchewan et dont on disait qu'il serait sans aucun doute bûcheron s'il vivait ailleurs que dans les plaines où il n'y a pas d'arbres à abattre. Il est serré dans un pardessus de monsieur sérieux, sans forme, sans couleur, trop petit pour lui, écrasé sous un chapeau raide, à larges bords, qui n'est pas sans rappeler celui qu'il doit arborer avec fierté quand il porte son uniforme de police montée. Un pathétique rappel du pouvoir posé sur un costume de perdant. Lorsqu'il se redresse – il la dépasse d'une bonne tête –, c'est à sa patate qu'elle le reconnaît. Tout a changé chez lui, sauf son nez, énorme, rouge, percé de marques d'acné juvénile, cette tare que leur père appelait «la malédiction des Desrosiers mâles» parce que seuls les hommes en étaient atteints dans la famille, mais dont Ernest était pourtant fier parce qu'on prétendait qu'un gros nez annonçait la taille respectable d'une autre protubérance de l'anatomie. (Il en parlait tout le temps, à mots couverts pour ne pas trop faire rougir sa mère et ses sœurs qui, de toute façon, faisaient celles qui ne comprenaient pas, à tel point, d'ailleurs, que ses amis avaient fini par l'appeler Ernest-la-grosse-queue sans pourtant l'avoir jamais vue.) Les joues, couperosées dès l'adolescence, ont gonflé, des poches sont apparues sous les yeux, des rides barrent le front, mais le nez est resté pareil. Enfin, dans sa forme, parce que lui aussi a pas mal rougi avec les années. L'alcool? La maudite boisson, autre fléau des Desrosiers?

«Maria?

— Ernest?»

Les secondes qui suivent sont pénibles. Que faire? Se jeter dans les bras l'un de l'autre? Pourquoi? Aucun des deux ne s'est ennuyé de l'autre. Se serrer la main? Ce serait ridicule, ils ne sont quand même pas des étrangers. Ils se contentent de se regarder.

Ernest se penche enfin pour prendre la valise.

«J'pensais que t'arais changé plus que ça.»

Elle replace son chapeau qui n'a pourtant pas bougé.

«J'pensais que t'arais moins changé que ça.

— Laisse faire, c'est correct, je le sais que chus gros.

— T'es pas juste gros…»

Il l'interrompt; on dirait qu'il va redéposer la valise sur le trottoir et se sauver en courant.

«Chus vieux? C'est ça que tu veux dire, chus vieux? Chus pas si vieux que ça, j'ai à peine quarante ans!»

Elle ne va quand même pas lui dire qu'il a l'air d'en avoir cinquante.

«C'est pas ça que je voulais dire non plus. On a vieilli tous les deux, Ernest, c'est normal! Excuse-moi, là, on commence ben mal... Ça fait des années qu'on s'est pas vus, c'est pas le temps de se chicaner.

— Que c'est que tu voulais dire, d'abord?

— Rien. Rien. J'voulais juste répondre quequ'chose à ce que tu me disais...

— C'est ce que je te disais tout à l'heure... T'as pas perdu ton habitude de toujours vouloir avoir le dernier mot.

— Non, je l'ai pas perdue...

— Tu vois, tu le fais encore, là...

— J'fais quoi?

— Tu réponds à ce que j'ai dit... pour avoir le dernier mot! Pour être la darnière à parler!»

Elle va répondre qu'ils ne sont plus des adolescents, que ces détails-là n'ont plus d'importance, se rappelle que ça en a pour elle et se retient. Il y a eu trop de chicanes à ce sujet-là quand ils étaient enfants, ce n'est pas le moment de recommencer, alors qu'elle a besoin de lui.

Il lance un énorme juron qui la fait sursauter!

«Tabarnac! Chus ben épais! J'ai renvoyé le taxi au lieu de le garder! J'vas être obligé d'en flyer un autre!»

* * *

C'est un taxi ouvert. Après le tramway où elle a eu si froid tout à l'heure, Maria se dit qu'elle n'a pas de chance. Le froid est si intense qu'elle commence à ne plus le sentir tellement elle est gelée. Le chauffeur, emmitouflé dans un capot de chat sauvage, pipe à la bouche, ne semble pas en souffrir. Il n'est pas pressé de se rendre à destination, il prend son temps, il s'arrête aux intersections trop longtemps au goût de Maria. Elle a de nouveau relevé son col de manteau, mais ce n'est pas suffisant. Elle sent les larmes causées par le froid couler sur ses joues, ce que sa mère appelait autrefois des larmes d'hiver. Pourvu qu'Ernest ne les interprète pas mal, qu'il ne les prenne pas pour des larmes de regret ou de honte. Elle le regarde à la dérobée. Il a fermé les yeux. On dirait qu'il dort. C'est peut-être juste pour éviter d'engager la conversation.

Il sent la boisson à plein nez. Malgré l'air qui s'engouffre de partout, elle peut très bien sentir son haleine d'homme soûl.

Une petite ponce pour lui donner du courage avant de venir la rencontrer? Une dernière *shot* «pour la route» après de nombreuses *shots* en enfilade depuis le matin?

Elle s'en veut aussitôt de le juger trop vite.

Elle l'a appelé au milieu de la soirée, il avait peut-être pris quelques verres de bière en mangeant, quoi de plus normal? Pourquoi penser le pire, comme ça, sauter à cette conclusion hâtive? Elle soupire. Parce qu'elle connaît trop cette odeur pour en faire abstraction, cette senteur qui ne trompe pas et qu'elle reconnaîtrait entre toutes. Le gin. Pas la bière. Le gros gin Bols dans sa bouteille verte carrée que leur père appelait un quatre épaules, autre calamité de la famille Desrosiers. Non. Pas juste de la famille Desrosiers...

En un clin d'œil elle se retrouve à Maria pendant un réveillon de Noël, à la fin du siècle dernier, ou un mariage, ou même une première communion. Les hommes ont le coude léger, ils suent, ils chantent à pleins poumons des chansons incompréhensibles parce que remaniées par deux cents ans d'interprètes illettrés, ils reluquent les jeunes filles – y compris leur propre père, le tonitruant Méo Desrosiers, avant que sa femme ne lui lance un ultimatum et ne le somme de choisir entre l'alcool et sa famille, de rentrer chez les Lacordaire s'il est incapable d'arrêter de boire tout seul, sinon... – pendant que les femmes cachent leur honte dans un babillage sans queue ni tête, tout en surveillant ce qui se passe du coin de l'œil pour que les choses n'aillent pas trop loin. Pour éviter un autre drame qu'elles auront ensuite à couvrir, à pardonner, à oublier. Jusqu'au prochain. Comme d'habitude. L'haleine de gin Bols. L'enfance de Maria en a été imprégnée et elle l'a retrouvée là-bas, en Nouvelle-Angleterre, chez la plupart des hommes qu'elle a connus. La panacée de l'homme pauvre. Le refuge du désespéré. Même monsieur Rambert, pourtant si raisonnable, en est parfois affecté. Infecté comme d'une maladie.

Elle revoit leur père lever son quatre épaules, sa chère bouteille tant aimée, ce qu'il croit être son salut, au-dessus de sa tête, hilare et soufflant comme un phoque ; elle l'entend crier :

«Du petit lait ! C'est comme du petit lait !»

Il a des larmes d'expectative, il brûle de porter à ses lèvres ce qu'il appelle aussi son biberon parce qu'il peut y téter de généreuses goulées pendant de longues secondes, sans s'arrêter pour respirer, anxieux de sentir le poison lui descendre dans l'œsophage, lui brûler les intérieurs, endormir sa douleur. Son frère a-t-il hérité du vice de leur père ?

Pourtant, Ernest fait partie de la police montée, il a un travail avantageux, bien payé, une position enviable qui devrait le mettre à l'abri de tout ça, la fuite, le dernier abri, le trou dans le plancher où disparaître, la reddition de celui qui n'a plus d'autre choix que de boire pour oublier...

Leur père, encore :

«Noyer sa peine, Maria. Ça s'appelle noyer sa peine. La boisson, c'est un lac qui a pas de fond, pis qui pardonne pas. Mais qui soulage.»

Ce matin-là, il venait d'annoncer à sa fille que le verre qu'il tenait à la main était son dernier, il l'avait juré, l'autre main sur le cœur et tout. Elle savait qu'il le regrettait déjà, qu'il entrevoyait avec horreur les mois, les années qui allaient suivre, sans gin Bols pour le consoler, l'horreur, la soif, la souffrance d'être sur la wagonne sans l'avoir choisi lui-même.

«Avec quoi j'vas noyer ma peine, à c't'heure, Maria? Avec de l'eau? Avec du lait? Avec du jus de pomme? Un homme a besoin d'autre chose que du lait, de l'eau pis du jus de pomme pour passer à travers la vie, Maria! Y a besoin de quequ'chose qui fesse, qui engourdit pis qui endort!»

Le désespoir. Plus grand que lorsqu'il leur demandait pardon à genoux de les avoir frappés et, surtout, de ne pas s'en souvenir. Comment il se sent, maintenant, après toutes ces années? Sa mère lui a écrit qu'il allait bien, qu'il n'avait jamais rebu et qu'il était fier de lui. Mais peut-elle croire sa mère qui embellit toujours tout et tait, par habitude, c'est une seconde nature chez elle, ce qui ne va pas? Le refuge de l'alcool chez le père, la protection par le déni chez la mère.

Peut-être la présence de ses petites-filles, depuis cinq ans, l'a-t-elle aidé, qui sait?

Son père souffre-t-il depuis vingt ans de ne pas boire?

Et quelle peut être la peine que son frère Ernest noie dans le gin Bols?

«Y a une surprise qui t'attend, chez nous.»

Elle a presque sursauté. Elle commençait à penser qu'ils n'échangeraient pas un mot jusqu'à Ville-Émard.

«Une surprise?

— Une grosse surprise.

— Une bonne ou une mauvaise?

— Ça va dépendre comment tu vas prendre ça...»

Ça y est, maintenant elle a peur.

Après avoir passé devant un entrepôt dont Maria a pu lire le nom en grosses lettres : Clos de Bois Jos Quesnel, le taxi tourne un coin, s'engage dans une rue sombre qui coupe le boulevard Monk, un cul-de-sac qui se termine par une clôture de bois, comme si le monde s'arrêtait là, au bout d'une impasse, à Ville-Émard. Peut-être un avertissement. Mais de quoi?

Août 1914

Il fait déjà chaud. Ce n'est rien en comparaison de la canicule qui s'est abattue sur Montréal en juillet – une semaine complète de chaleur suffocante qui a laissé les Montréalais épuisés, privés de sommeil –, mais l'air, lourd et mouillé, colle à la peau et Rhéauna se demande dans quel état elle arrivera à la gare Windsor. Elle avait d'abord décidé de marcher ; elle commence maintenant à se demander si elle ne devrait pas sacrifier quelques sous pour prendre le petit char de la rue Sainte-Catherine. Dépenser un peu d'argent pour gagner du temps. Et de l'énergie. Elle ne sait pas avec précision où est située la gare, juste que c'est à l'autre bout de la ville, dans l'ouest, là où presque personne ne parle français, sans doute dans le quartier du magasin Ogilvy où travaille sa tante Tititte. Elle s'est déjà rendue à pied chez Ogilvy en compagnie de sa mère ; elle avait trouvé la promenade passionnante à cause de tout ce qu'elle avait vu en chemin, mais surtout épuisante : Maria marchait vite, s'intéressait peu aux vitrines pourtant magnifiques devant lesquelles elles passaient et n'arrêtait pas de lui dire de se dépêcher alors qu'elles n'étaient pas du tout pressées. Sa mère ne se promène pas, elle se *rend* quelque part.

Rhéauna traverse Dorchester qu'elle a renoncé à emprunter parce que c'est une rue où il ne se passe rien, une artère importante pour la circulation, dénuée de tout intérêt pour une petite fille curieuse : des piétons impatients, des voitures qui vont jusqu'à des trente milles à l'heure, des autobus qui puent, des carrosses tirés par des chevaux affolés par la trop importante animation, le danger de se faire écraser à chaque intersection, rien d'autre.

Elle tourne à gauche au coin de Montcalm et Sainte-Catherine. L'odeur du crottin de cheval et des déchets pas encore ramassés lui monte aussitôt au nez et elle sort son mouchoir de sa poche. Il y a des matins, comme ça, où c'est vraiment intolérable. Montréal n'est pourtant pas une si grosse ville. Qu'est-ce que ça doit être à New York, à Paris, où, du moins on le prétend dans les journaux et la tante Tititte le confirme au sujet de certains quartiers pauvres de Londres, les excréments d'animaux sont empilés aux coins des rues pour être ensuite vendus à des fermiers qui vont s'en servir comme fertilisant! À moins que ce ne soient là que des légendes destinées à faire taire les enfants qui trouvent que ça pue dans la rue. Pour leur faire comprendre que c'est pire ailleurs. Elle se demande d'ailleurs souvent comment il se fait que le crottin sente si bon à la campagne et si mauvais en ville… En Saskatchewan, jamais elle ne se serait plainte de cette odeur qui parfumait les chemins, alors qu'ici elle la trouve insupportable. Peut-être qu'en ville les chevaux ne mangent pas la même chose ou ne digèrent pas de la même façon. Les oiseaux ne semblent pourtant pas s'en formaliser et picorent avec énergie et délectation les pommes de route, comme à Maria, à la recherche de graines pas digérées qu'ils s'arrachent à coups de becs furieux et avalent en pépiant de bonheur.

Ses souliers claquent sur le trottoir de bois, un des derniers de la ville. Elle aime bien ce son qui lui rappelle la grande galerie autour de la maison de ses grands-parents et sur laquelle elle a tant sauté à la corde avec Béa et Alice. Elle chantonne *Salade, salade, limonade sucrée, dites-moi le nom de votre cavalier*, une comptine qui accompagnait un de leurs jeux favoris, à ses sœurs et à elle, un truc compliqué au cours duquel il fallait, tout en sautant à la corde, trouver l'initiale du prénom de celui qu'on allait un jour épouser. On s'arrangeait pour s'accrocher les pieds quand on arrivait à l'initiale du prénom du dernier garçon qu'on avait élu, et voilà, le tour était joué, le mariage était décidé, réglé, conclu. Quitte à recommencer la semaine suivante avec un autre nom. Elle remet son mouchoir dans sa poche. Son nez va s'habituer, comme d'habitude. Dans quelques minutes elle ne sentira plus rien, sauf, bien sûr, si un cheval fait ça près d'elle. C'est encore pire quand ils font pipi. Ce gros truc monstrueux qui leur sort du corps, en pleine rue, devant tout le monde, le jet puissant, fumant, qui éclabousse tout, l'odeur d'œufs pourris, les femmes qui font comme si elles n'avaient rien vu, l'hilarité ouverte des hommes que ces choses-là ne semblent pas choquer...

Elle aperçoit de loin la marquise de Dupuis Frères, à l'angle de Sainte-Catherine et Saint-André, le pendant moins chic, dans l'est de la ville, des grands magasins de l'ouest de Montréal. Elle sait qu'elle va s'y arrêter, elle se doute même qu'elle a fait un détour pour cette seule raison : elle est incapable de résister aux merveilles qui l'attendent aussitôt les portes franchies de cette caverne d'Ali-Baba bourrée de merveilles.

Un grand bruit attire l'attention de Rhéauna. Un bouchon s'étant formé à l'angle des rues Amherst et Sainte-Catherine, une automobile a voulu contourner un carrosse et est entrée en collision avec un lampadaire. De la fumée sort du capot, le moteur cale. Le conducteur s'extrait de son siège en sacrant comme un damné, une foule de badauds commence à se rassembler autour de lui. On lui demande comment il va, s'il est blessé, on lui offre de l'aide ; lui se contente d'enfiler juron sur juron tout en retirant sa casquette et ses lunettes de conduite qui lui protégeaient la tête et les yeux contre le vent et la poussière. Il les lance sur la banquette arrière de la voiture, puis se met à donner des coups de pied rageurs au lampadaire. Rhéauna regarde autour d'elle, à la recherche d'un espace où se faufiler, entre deux autos ou deux tramways. La circulation est paralysée. Pas moins de trois tramways sont immobilisés, collés les uns derrière les autres, des automobiles klaxonnent, des chevaux hennissent, des femmes crient pour rien, des hommes rient.

Là, oui, il y a un petit espace... Mais sa mère lui a raconté tant d'histoires d'enfants écrasés sous une auto parce qu'ils avaient voulu traverser la rue sans attendre d'être à une intersection ou coupés en morceaux par les roues d'un petit char, qu'elle hésite. Rien ne bouge à part la foule de plus en plus agitée, il ne devrait pas y avoir de danger. Elle se coule dans la cohue, joue des coudes pour se frayer un chemin, réussit à se faufiler entre deux tramways.

C'est la première fois qu'elle se glisse entre des machines aussi grosses. Ça sent l'électricité, un drôle de picotement lui parcourt la peau et elle perçoit, de chaque côté d'elle, la pulsion des puissants moteurs. Des cœurs qui battent. Plutôt que de se dépêcher pour arriver sur l'autre trottoir au plus vite, comme elle devrait le faire, elle s'arrête entre les deux véhicules, lève la tête, pose la main sur le métal protégeant le moteur de celui de derrière, un énorme engin peint en vert foncé, à l'air menaçant. C'est chaud, ça vibre, on jurerait que c'est vivant. Elle pense à *Alice au pays des merveilles* qu'elle vient de lire et auquel elle n'a à peu près rien compris tout en étant fascinée par les êtres fabuleux et les étranges aventures qui attendaient l'héroïne à chaque page, aux histoires de preux chevaliers et de terribles dragons, aussi, qui l'ont si souvent empêchée de dormir parce qu'un gigantesque lézard qui crache le feu, c'est tout de même terrifiant. Pendant quelques secondes, elle devient l'un de ces preux chevaliers et, juste avec le plat de la main, elle dompte un dragon électrique qui pourrait pourtant ne faire qu'une bouchée d'elle, comme on dit dans les romans de preux chevaliers et de terribles dragons. Ça ne se passe pas dans les brumes éternelles d'Angleterre, un pays toujours vert, semble-t-il, à cause de la pluie, et sans cesse noyé dans la brume si on en croit les romans qui se passent aux temps des preux chevaliers, mais au Canada, en plein soleil du mois d'août, un pays où la neige remplace la brume et trop jeune pour avoir connu le Moyen Âge. Ce n'est pas le roi Arthur avec son épée Excalibur qui charge le dragon de la terrible Morgana le Fey, sa demi-sœur, non, c'est la légendaire Rhéauna Rathier qui retient par sa seule volonté un tramway de la rue Sainte-Catherine, à Montréal! Elle se sent à la fois puissante et faible; puissante parce qu'elle impose sa volonté à un dangereux tas de ferraille, faible parce qu'elle a envie de lui parler, de se confier à lui, de lui avouer ce qu'elle se prépare à faire, ce geste absurde qui, oui, elle s'en rend compte tout à coup, la main sur le museau du dragon qui peut la dévorer d'une seconde à l'autre, ne servira à rien. Absolument. À rien. Elle s'en doutait, elle y pensait même avant de quitter la maison, mais là, devant l'être maléfique qui gronde sans toutefois menacer, c'est devenu évident. Pourquoi est-elle partie à l'aventure, comme ça, et pourquoi continuerait-elle si elle est convaincue que ça ne servira à rien? Absolument. À rien. Sept dollars et onze sous pour faire traverser tout un continent à trois personnes! C'est aussi absurde qu'*Alice au pays des merveilles,* non? Ou que le combat entre un chevalier et un dragon? Elle appuie le front contre le métal chaud. Faire demi-tour? Ou continuer, se rendre au bout, sans jamais rien dire à sa mère de ce qu'elle avait eu l'intention de faire pour les protéger de la guerre, même si elle avait vu d'avance son plan voué à l'échec? C'est ça! C'est ça, la raison de son départ, elle l'avait oublié! Les protéger de la guerre! Elle, son frère, sa mère. Aller de l'avant, donc. Sans réfléchir plus loin, comme dans les romans de preux chevaliers et de terribles dragons. Pour pouvoir se dire, après, qu'elle aura au moins essayé… Dans les romans d'aventures, le preux chevalier vient toujours à bout du terrible dragon. Mais là, aujourd'hui, en 1914, l'héroïne est bien faible et la guerre un bien gros monstre à abattre !

Quelques kang-klang-klang sonores lui rappellent où elle est, surtout que le danger est réel si les tramways se mettent en branle, et elle saute sur le trottoir en courant. Un policier, bâton à la main et sifflet au bec, est venu défaire le nœud du bouchon avec de grands gestes autoritaires, les rues sont enfin dégagées, la circulation peut reprendre vers les quatre points cardinaux. Le conducteur du véhicule accidenté reste seul devant sa voiture en se grattant la tête. Il va devoir se trouver une voiture à chevaux pour le tirer vers le prochain garage, s'il y en a un dans le quartier, et s'en trouve humilié parce qu'il sait qu'on va rire de lui. Avec raison.

Rhéauna se regarde dans une vitrine et trouve qu'elle ressemble en effet un peu à Alice dans sa robe à peu près du même rouge – sa mère lui a acheté la version en couleurs, beaucoup plus dispendieuse, où Alice apparaît dans une jolie robe rouge et un tablier blanc –, plus longue que celle de l'héroïne du roman, cependant, parce que les fillettes de Montréal, selon les lois de la très sévère Église catholique, doivent toujours se montrer décentes et porter des robes qui descendent au moins jusqu'à mi-mollet, alors que les petites Anglaises ont, du moins si l'on en croit les illustrations d'*Alice au pays des merveilles,* le droit d'avoir l'air de vraies petites filles. En lisant le livre, elle a envié Alice avec sa robe courte et bouffante, sa grande maison, son jardin et sa chatte Dinah. Sa mère, son frère et elle vivent dans un appartement situé à l'étage, sans jardin, et elle n'a pas le droit d'avoir d'animaux dans la maison, ni chien ni chat, parce que sa mère prétend être allergique aux poils. C'est peut-être juste une excuse pour ne pas avoir à s'en occuper. Peut-être pas.

Rhéauna a bien eu un poisson rouge pendant quelques mois, mais elle s'est fatiguée de le voir tourner en rond dans son bocal, la bouche ouverte et les yeux fous, et a fini par lui rendre sa liberté en le jetant dans les toilettes. Qui sait, il est peut-être devenu un énorme poisson qui fait la loi dans les égouts de Montréal. À moins qu'il n'ait été dévoré par un rat aussitôt sorti du tuyau d'évacuation…

Toujours est-il qu'elle n'a pas de chat, qu'Alice en a un et qu'elle en est restée un peu jalouse. Elle continue à marcher vite; elle est presque rendue chez Dupuis Frères, un de ses endroits favoris au monde, et elle a hâte de parcourir les grandes allées où flottent tant de parfums exotiques. Première étape dans le périple qui la mènera jusqu'à la gare Windsor.

Entre la rue Amherst et la rue Saint-Timothée – après un an, elle est encore étonnée par le nombre de rues portant un nom de saint, à Montréal –, elle passe en se faisant la plus petite possible devant la buanderie chinoise de sinistre réputation qui fait trembler tous les enfants du quartier. À entendre parler les mères du faubourg à m'lasse, cette blanchisserie est un repaire de bandits, de voleurs d'enfants et de pourvoyeurs de chair fraîche pour la traite des blanches. Aucune mère n'a jamais expliqué à aucun enfant ce qu'est la traite des blanches, mais il paraît que c'est terrible, que des jeunes filles disparaissent en un clin d'œil, qu'on ne les revoit jamais, qu'elles finissent quelque part en Chine avec un rubis dans le nombril à faire des choses à la fois sales et répréhensibles. Ce qui n'empêche pas les femmes du quartier d'envoyer leurs enfants chercher le linge qu'elles y ont fait laver. Même après leur avoir dit que les Chinois endorment les enfants avec de l'opium, une drogue mortelle qui rend fou avant de tuer, puis les coupent en morceaux pour en faire de la soupe qu'ils mangent ensuite en famille, avec des baguettes, dans des bols gros comme des soupières. Chaque enfant qui entre dans cette boutique, le petit papier de commande orné de caractères chinois à la main, est donc terrorisé, convaincu que son dernier jour est arrivé, et c'est en tremblant qu'il tend son papier. Les Chinois ne parlent ni français ni anglais – ou font comme si –, prennent leur temps pour aller cueillir la commande pendant que les petits clients se tiennent à côté de la porte, prêts à déguerpir aussitôt qu'ils verront apparaître le bout d'un couteau ou la forme d'une boule d'opium.

Rhéauna n'est pas sûre qu'elle croit à cette légende, qui impliquerait que les mères du quartier acceptent de mettre en toute conscience la vie de leurs enfants en danger. Après tout, on n'est pas dans un conte d'Andersen ou des frères Grimm. Mais elle ne prend jamais de chances et essaie chaque fois qu'elle a à s'y rendre de rester le moins longtemps possible. Tendre le billet, attendre le paquet, sortir l'argent, s'emparer du ballot de linge propre, puis courir se réfugier sur le trottoir, dans le bruit des tramways qui crachent leurs étincelles et des automobiles qui klaxonnent souvent pour rien.

Mais si ce n'est qu'une légende, pourquoi l'avoir inventée? C'est ce que Rhéauna se demande en passant devant la buanderie, tête baissée et soudain encline à marcher vite. Elle sait bien que certaines histoires existent pour faire peur aux enfants, pour les empêcher de commettre des folies, mais pourquoi celle-là? Pourquoi terroriser un enfant avant de l'envoyer faire une commission? Pour qu'il ne traîne pas en chemin? Les mères comprennent-elles toutefois les moments de terreur qu'elles font passer à leur progéniture, ces minutes de pure horreur à imaginer le manche d'un long couteau, le sang qui coule, la marmite d'eau bouillante, les baguettes de bois qui fouillent les bols gros comme des soupières à la recherche de morceaux d'enfants bien cuits? Ou encore les rues perdues au fond d'une province chinoise éloignée où l'on vous oblige à porter un rubis dans le nombril et à faire des choses inavouables? Si oui, c'est de la vraie méchanceté! Elles répondraient sans doute que ce n'est qu'une farce, que c'est pour rire, que les enfants ne devraient pas les croire... pour ensuite leur dire qu'il faut toujours croire ses parents, qu'ils possèdent la vérité parce qu'ils connaissent mieux la vie!

Elle se réfugie sous la marquise de Dupuis Frères qui longe toute la façade du magasin. Des colonnes de métal soutiennent un toit en fer forgé surmonté des étages supérieurs du bâtiment qui s'avancent en encorbellement jusqu'au bord de la rue. Le trottoir est donc protégé des intempéries ; la neige ne s'y accumule à peu près jamais l'hiver et les passants sont protégés du soleil l'été. Ce qui est très apprécié des flâneurs et attire des clients, surtout des femmes, qui sinon n'auraient pas été tentés d'entrer dans le magasin.

Rhéauna se rappelle avec ravissement le jour béni où sa mère l'a emmenée chez Dupuis Frères pour la première fois. C'était l'année dernière, elle venait à peine d'arriver à Montréal et se plaignait des horribles odeurs de la grande ville qui l'étouffaient et la faisaient éternuer sans arrêt.

Maria lui avait dit, l'air de rien, qu'elle allait lui montrer une chose extraordinaire, un magasin comme elle n'en avait jamais vu, un établissement immense où on trouvait de tout. On pouvait même y commander un éléphant si on voulait. Rhéauna s'était arrêtée au beau milieu du trottoir, les yeux levés vers le visage de sa mère qui semblait s'amuser de son étonnement et se retenir pour ne pas éclater de rire.

« Un éléphant? On peut acheter un éléphant chez Dupuis Frères!

— Ben oui! Tu remplis une commande, là, y paraît, pis au bout d'un certain temps tu reçois ton éléphant...

— Qu'est-ce que tu peux faire avec un éléphant dans une maison?

— Ça veut pas dire que le monde en achète, Nana, que des enfants en reçoivent comme cadeau de Noël! Ça veut juste dire que tu peux le faire si tu veux.

— Ben oui, mais pourquoi quelqu'un achèterait un éléphant!

— C't'un exemple, Rhéauna, juste pour te dire que tu peux tout commander chez Dupuis Frères!

— Ben oui, mais pourquoi y vendent des affaires dont on n'a pas besoin!

— On le sait pas, Nana, peut-être qu'y en a, après toute, du monde qui achètent des éléphants, des gens qui ont des maisons assez grandes, des enfants assez gâtés...»

Maria ne s'était plus retenue et avait beaucoup ri devant l'air ahuri de sa fille.

«Voyons donc, Nana, c'est juste un exemple que je te donne, si je t'avais dit qu'on pouvait acheter des mouchoirs, tu m'aurais pas écoutée!»

Insultée, Rhéauna avait commencé à bouder en traînant de la patte. Elle savait que sa mère détestait ça et voulait lui faire payer le piège qu'elle venait de lui tendre et dans lequel elle était tombée comme une imbécile. Franchement! Acheter un éléphant! Et elle s'était laissé prendre!

Juste avant d'entrer dans le grand magasin, Maria lui avait dit :

«Tu vas voir comme c'est beau.»

Et Rhéauna était restée figée comme un piquet de clôture devant ce qui était sans conteste l'étalage de marchandises le plus étonnant, le plus invraisemblable, le plus merveilleux que l'on puisse imaginer. Dehors, c'était le fouillis inextricable des voitures et des tramways au milieu d'un vacarme assourdissant, ici, au-delà d'une simple porte qu'il suffisait de pousser, se trouvait une oasis de fraîcheur et de calme, une espèce de magasin général comme celui de monsieur Connells, à Maria, mais mille fois plus grand et, surtout, plus éclairé, plus ordonné.

Un nombre incalculable de comptoirs de toutes dimensions croulaient sous des tonnes de marchandises à acheter, des lustres pendaient du plafond – enfin, ce n'était pas tout à fait des lustres, mais ça s'en approchait suffisamment pour qu'elle se le fasse croire –, des vendeuses, toutes habillées pareil de longues jupes noires et de blouses blanches immaculées et repassées du matin, s'affairaient autour de clientes souvent moins bien vêtues qu'elles – les hommes étaient rares –, en leur offrant des denrées recouvertes de papier de soie qu'elles sortaient avec mille précautions de jolies boîtes de carton. Les conversations se faisaient à voix basse, des têtes surmontées de chapeaux étonnants se penchaient au-dessus de présentoirs de verre. Des clientes, de toute évidence moins riches, comme Rhéauna et sa mère, se promenaient là-dedans en essayant de se faire oublier. Elles n'osaient pas s'approcher des comptoirs et évitaient, tête penchée et dos rond, de croiser le regard des vendeuses. Mais elles mangeaient tout des yeux, à petits regards furtifs, faute de pouvoir se procurer ce qu'elles auraient voulu rapporter chez elles.

Et sur tout ça régnait un mélange de parfums doux, délicats, des odeurs qui se situaient si loin de celles que Rhéauna endurait depuis son arrivée à Montréal, une fusion d'une telle subtilité de fleurs et de plantes, que les larmes lui étaient aussitôt montées aux yeux. Ça sentait à la fois les champs balayés par le vent et les fleurs exotiques que portent les femmes qui en ont les moyens. Elle retrouvait en même temps le foin d'odeur de la Saskatchewan et cette fleur au nom oublié dont elle avait trouvé la trace dans le cou de sa grande cousine Ti-Lou, à Ottawa. Si elle en avait eu les moyens, elle aurait donc pu se procurer l'odeur de sa grande cousine Ti-Lou, la porter toujours sur elle!

Maria s'était penchée sur sa fille et avait posé une main sur son épaule.

«Je savais que tu serais impressionnée, Nana.»

Impressionnée? Elle aurait voulu s'installer là, sous un comptoir ou derrière une colonne, ne plus jamais sortir du magasin pour se tenir éloignée des relents de la grande ville et s'imaginer être de retour au Château Laurier, à Ottawa, dans les bras de la plus belle femme qu'elle ait jamais vue de toute sa vie et qui avait été si gentille avec elle.

Depuis ce jour-là, depuis cette visite guidée en compagnie de sa mère à travers les nombreux étages de Dupuis Frères qui regorgeaient de splendeurs dont elle n'avait jamais soupçonné l'existence, Rhéauna vient hanter les allées de ce concentré de ce qu'il y a de plus beau au monde chaque fois qu'elle en trouve l'occasion. Elle ne croise pas d'éléphant, bien sûr, mais elle voit bien des choses qu'elle n'aurait pas pensé qu'on pouvait vendre dans un simple magasin général, des ameublements complets de maison, par exemple, ou des sous-vêtements de femmes étalés au su et au vu de tout le monde, ces parfums que lui avaient fait essayer les vendeuses en pouffant de rire, aussi, et qui remplissaient des dizaines et des dizaines de présentoirs dans des flacons aux formes invraisemblables. Son plaisir est resté intact, elle ressent la même excitation devant les découvertes qu'elle fait à chacune de ses visites, surtout lorsqu'une vendeuse lui tend un joli flacon de verre de couleur à poire de caoutchouc d'où va s'échapper un arôme qui va la suivre pendant toute la journée et la faire rêver. Elle court à travers les étages, sa curiosité d'abord sollicitée puis toujours comblée, et elle sait qu'elle n'épuisera jamais les merveilles qui se cachent dans tous les recoins de ce grandiose fourre-tout. Elle ne veut rien acheter, ce qui l'intéresse est de tout regarder, de se demander à quoi peuvent servir tous les trucs qu'elle ne connaît pas, de se remplir les yeux et les narines à s'en soûler de souvenirs qu'elle essaiera plus tard de faire revivre.

Sa mère lui avait ébouriffé les cheveux.

«Ça sent bon, hein? C'est ici que moi pis tes tantes on a trouvé notre Tulipe noire… R'garde, c'est elle, là-bas, qui le vend. Est ben fine. A' s'appelle Jeannine Cusson. Même si c'est un parfum qui coûte pas ben cher, a' me regarde pas de haut quand je viens en acheter une bouteille.»

Rhéauna vient se planter devant la porte principale du grand magasin, y colle le nez avant de la pousser. Elle trouve tout de suite Jeannine Cusson, bien installée derrière son comptoir et souriante même s'il n'y a personne devant elle pour quêter des échantillons ou demander conseil. Elle aperçoit aussi monsieur Simoneau, le détective maison, qui semble l'avoir prise en grippe depuis quelque temps et qui a décidé de la suivre partout chaque fois qu'il l'aperçoit. Il rôde dans le département des parfums, ce matin, les sourcils froncés, à l'affût du moindre geste suspect, dévoré, dirait-on, par le besoin d'arrêter quelqu'un. C'est d'autant plus ridicule que le magasin est presque vide à cette heure matinale. Rhéauna ne peut s'empêcher d'esquisser un petit sourire. Tiens, le Grand Méchant Loup. Elle n'est plus Alice, elle est redevenue le Petit Chaperon rouge…

Elle pousse la porte et plonge dans cet univers presque fantastique, composé de lumière et d'arômes, dont les relents exotiques semblent sortir des livres qu'elle a lus et qui l'ont tant fait rêver : est-ce que c'est ça, l'odeur de l'Arabie des *Mille et une nuits* dont elle est en train de lire, sans s'en douter, une version édulcorée pour enfants, ou celle de l'Ancienne Égypte des pharaons où, dit-on, les fards ont été inventés; est-ce là le parfum dont Cléopâtre s'apprêtait à s'asperger quand l'aspic l'a piquée, ou celui que Dalila arborait fièrement – elle vient d'apprendre le verbe arborer et l'essaie à toutes les sauces, quitte à se tromper – quand elle a coupé les cheveux de Samson? Ou cette senteur d'herbe coupée, là, est-ce ça qui flottait autour de la tanière du Lapin Blanc si pressé quand Alice y a pénétré dans sa belle robe rouge après avoir dit à sa chatte Dinah de ne pas la suivre parce que c'était peut-être dangereux? Ou est-ce celle que le Petit Chaperon rouge a respirée quand il est entré dans la forêt menaçante, son petit panier sous le bras? Ah, voilà celle qu'elle cherche toujours, celle de sa grande cousine Ti-Lou, chaude et piquante, qui lui fait monter une boule dans la gorge. La belle Jeannine – elle est obligée de l'appeler mademoiselle Cusson devant les clientes, mais pour elle elle reste la belle Jeannine – lui a dit que c'était fait à base de gardénia, un autre beau mot à retenir et à savourer, une fleur toute blanche d'une grande fragilité qui ne dure que quelques jours, et qui vaut une fortune. Et, surtout, qu'on lui avait ordonné de distribuer les échantillons de ce parfum avec parcimonie, juste auprès des clientes riches qui sont susceptibles d'en acheter. Rhéauna a compris et n'a pas insisté. De toute façon, elle ne se sent pas encore prête – ou assez femme – pour *arborer* le gardénia. Le gardénia, c'est bon pour la grande vie : Ottawa, le Château Laurier, les phaétons, les ascenseurs mécaniques, les grands chapeaux, les bottines de cuir souple. Et les hommes braillards qui viennent frapper à la porte au milieu de la nuit pour une mystérieuse raison.

Jeannine est contente de la voir, mais elle fait un signe de tête en direction de monsieur Simoneau qui, pour le moment, leur tourne le dos.

«J'te dis qu'y est pas de bonne humeur aujourd'hui! Y est pas endurable, on dirait qu'y en veut à tout le monde!»

Elle se penche derrière son comptoir, sort un flacon assez laid en forme de coquille Saint-Jacques.

«Tiens, veux-tu essayer ça? On vient juste de le recevoir. Ça porte un beau nom, Brise de mer, mais chus pas sûre que j'aime ben ça… En tout cas, ça m'a fait éternuer pendant cinq minutes…»

Elle tient la bouteille d'une main, la poire entre le pouce et l'index de l'autre, la tête penchée par en arrière, prête à plonger Nana dans une nouvelle aventure olfactive, mais la fillette la retient.

«Si vous aimez pas ça, j'aime mieux pas essayer… J'ai pas envie de sentir le diable, ou ben le poisson, pour le reste de la journée…»

Elles éclatent de rire; monsieur Simoneau se retourne aussitôt, convaincu qu'on parle de lui dans son dos.

«Qu'est-ce qu'y a de si drôle?»

Elles se regardent, rougissent, pouffent, se cachent le visage dans leurs mains. Deux petites filles prises en flagrant délit. Jeannine est la première à reprendre son souffle.

«On riait juste du nom d'un nouveau parfum, monsieur Simoneau…

— Ah oui, pis comment y s'appelle, c'te parfum-là?

— Brise de mer.

— Brise de mer. Pis vous trouvez ça drôle!»

Elles baissent les yeux, soudain honteuses. Mais pourquoi honteuses, Rhéauna se le demande. Pourquoi se laissent-elles impressionner par ce gros homme boudiné dans son linge qui cherche la chicane parce qu'il n'y a rien d'autre à faire et qui se mêle de parfums sans y rien connaître?

Par pure bravade, pour lui tenir tête, pour le remettre à sa place, ou les trois en même temps, elle se redresse et dit à Jeannine en empruntant un accent qu'elle voudrait français mais qui ressemble plus à celui de sa tante Tititte quand elle essaye de bien parler, chez Ogilvy, devant une madame d'Outremont :

«Vous m'en mettrerez une caisse, madeumoiselle Cusson, jeu vais prendre mon bain deudans, cet après-meudi, en buvant mon cheuquelat cheud.»

Il est sur elle avant même qu'elle ne pense à réagir.

«Aïe, tu viendras pas rire de moé comme ça, toé!»

Elle lève la main, comme pour se rendre.

«Excusez-moi, j'ai été impolie. Mais c'est vrai qu'on parlait pas de vous, monsieur Simoneau…»

Elle lui offre son plus beau sourire, le plus large, celui qu'elle croit irrésistible parce qu'il faisait fondre ses grands-parents, là-bas, à Maria, mais auquel sa mère s'est pourtant montrée imperméable depuis un an. Il n'est donc pas infaillible. Il fonctionne cependant assez bien avec les étrangers qui le croient sincère.

Décontenancé, l'agent de sécurité se redresse, se racle la gorge, recule de quelques pas.

«Au moins, t'es polie, t'es capable de t'excuser…»

Encore plus large, le sourire. Et battre des cils a toujours son effet…

«J'vas aller voir les jouets, au quatrième, à c't'heure… J'ai vu une catin qui m'intéressait, l'autre jour… Bye, mademoiselle Cusson… Bye, monsieur Simoneau. Excusez-moi encore.»

Elle leur tourne le dos et s'éloigne du rayon des parfums, les laissant tous les deux en plan, bouche bée, l'une derrière son comptoir, l'autre au milieu de l'allée.

Jeannine cache son fou rire derrière sa main. Quant à monsieur Simoneau, se doutant qu'il vient encore de se laisser manipuler, il lève le bras comme s'il avait l'intention de frapper la petite sacripante.

Les clientes se font plus nombreuses dans le magasin. Rhéauna décide de suivre deux jeunes dames gantées et chapeautées qui se dirigent vers les escaliers de bois menant aux étages. Elles babillent en riant et ne s'arrêtent devant aucun présentoir; elles doivent se rendre à un endroit précis. Rhéauna décide de les suivre. Juste pour voir ce que ces deux belles madames si pressées viennent acheter si tôt le matin. Elles lèvent leurs jupes d'une main en attaquant les marches et se tiennent de l'autre à la main courante sans arrêter de jaser. La plus grande des deux, celle de droite, porte des bottines comme Rhéauna n'en a jamais vu. Plus courtes que celles imposées par la décence, munies de talons trop hauts pour être confortables, elles semblent taillées dans un cuir si léger et si souple qu'elles épousent la cheville et enserrent les pieds comme des gants. Des gants de pieds. Rhéauna sourit. Des gants de pieds. C'est une belle expression, elle devrait la garder en mémoire pour s'en servir au besoin.

Au troisième, les deux clientes s'arrêtent dans le rayon des sous-vêtements. Rhéauna reste figée dans l'allée, ne sachant trop quoi faire. Une enfant de onze ans n'a aucune raison de s'attarder au milieu des comptoirs de *bloomers,* de camisoles de coton de toutes les grandeurs et de corsets lacés rose pâle. Elle n'ose même pas regarder de trop près ce que les mannequins de bois sans tête portent autour d'elle. Elle dépasse donc les deux clientes qui se sont penchées sur une pile de dessous qu'elle ne voit pas mais qui semblent faits de dentelle blanche et mousseuse. C'est peut-être des femmes comme Ti-Lou, des femmes qui exercent un métier très différent de celui de sa mère et en retirent, c'est assez évident, beaucoup plus d'argent qu'elle. Habitent-elles un grand hôtel, elles aussi, une *sweet* qui sent le gardénia, avec un lit trop grand pour une seule personne et une salle de bains vaste comme la cuisine de l'appartement de la rue Montcalm?

Quelque chose de très drôle vient sans doute d'être lancé, parce que les deux femmes éclatent de rire. Une vendeuse, une dame plutôt âgée, raide, le buste relevé, un petit air méprisant sur le visage, s'approche d'elles, leur demande sur un ton à la limite de la politesse ce qu'elles cherchent. Ce que la plus grande lui répond, et que Rhéauna, trop éloignée, ne peut entendre, semble la scandaliser au plus haut point. Elle porte la main à sa vaste poitrine en fermant les yeux. Les deux clientes rient de plus belle en lui tournant le dos. Elles dépassent Rhéauna sans même lui jeter un regard. Elles auraient pu lui dire qu'elle est jolie dans sa robe rouge, non? C'est sa plus belle, celle des dimanches, et elle sait qu'elle est ravissante!

Elle décide qu'elle en a assez de ces deux cruches sans cervelle qui ne voient rien d'autre que leurs petites personnes, qu'elles sont beaucoup moins intéressantes qu'elle l'avait d'abord cru, et se dirige vers la vendeuse qui, main sur le cœur, s'est appuyée contre le comptoir. Qu'est-ce qu'elles ont bien pu lui dire pour la mettre dans un tel état?

«Ça va-tu bien, madame?»

La vendeuse se redresse, se passe les mains dans les cheveux qu'elle a remontés dans un savant échafaudage qui doit prendre des heures à édifier.

«Ben oui, ben oui, ça va bien. C'est juste ces deux folles-là, là...»

Elle replace en tremblant la pile de mystérieux dessous de dentelle blanche.

«Laisse faire, c'est pas des choses qu'on répète devant des enfants.»

Raison de plus pour le savoir! Mais Rhéauna devine qu'il ne lui servirait à rien d'insister, que la dame est trop bouleversée, et se dirige vers l'escalier qui va la mener au rayon des jouets.

* * *

C'est une splendide poupée japonaise que Rhéauna vient voir de temps en temps pour admirer sa belle robe vert d'eau attachée par une énorme ceinture de soie jaune nouée dans le dos, sa tête et ses mains en porcelaine peinte, ses traits si fins, si délicats, tracés en quelques coups de pinceau précis. Personne ne semble vouloir d'elle puisqu'elle est encore là, sur son présentoir, toute droite dans sa dignité, protégée par un parasol d'un rouge vif qui jure de façon plaisante avec les couleurs de son costume. Rhéauna se contente de l'admirer de loin depuis des semaines parce qu'on l'a enfermée sous verre pour empêcher les petites filles trop curieuses comme elle de la toucher. Quel plaisir elle aurait à en prendre soin, à la trimballer partout, à lui inventer une existence de femme malheureuse parce que retenue prisonnière loin de chez elle, d'étranges aventures qu'elles joueraient toutes les deux dans une langue inventée parce que Rhéauna ne sait rien du Japon, sauf que c'est très loin, à l'autre bout de la terre, en Asie, à côté de la Chine, que tous ses habitants ont les yeux bridés et qu'ils parlent un langage incompréhensible. Ils se comprennent entre eux, bien sûr, mais personne d'autre ne peut les comprendre. Ça ressemble peut-être à la drôle de langue qu'utilisent les Chinois de la buanderie quand ils se parlent. Elle inventerait donc une langue que juste elle et sa poupée pourraient déchiffrer, et qui les couperait du monde. Elles se confieraient leurs malheurs dans ce langage secret et elles seraient peut-être moins tristes. Rhéauna emprunterait des vieilles guenilles de sa mère et son parapluie à fleurs pour se faire un costume semblable à celui de sa poupée – ça s'appelle un kimono, le mot vient donc du Japon –, elle s'installerait dans sa chambre avec Théo sur les genoux, et le Japon, un pays mystérieux, en Asie, à côté de la Chine, naîtrait sous leurs yeux.

La vendeuse s'approche, mains sur les hanches.

«Encore toi. Tu l'aimes vraiment beaucoup, cette poupée-là, hein?»

Dérangée dans sa rêverie, Rhéauna se contente de hausser les épaules et s'éloigne en soupirant.

Elle se promène entre les comptoirs, prend quelques poupées dans ses bras, surtout un bébé à la mine hilare qu'elle berce en l'appelant Théo, puis se rappelle tout à coup qu'elle n'est pas là pour catiner, que sa visite chez Dupuis Frères n'est qu'un détour improvisé dans sa longue expédition vers la gare Windsor, qu'elle est entrée dans le magasin pour se remplir les narines d'odeurs agréables avant d'affronter celles, agressives et incommodes, de la rue Sainte-Catherine, et rien d'autre. Elle n'a pourtant pas de temps à perdre, elle doit revenir à la maison avant midi!

Elle replace le bébé à côté de la douzaine de ses jumeaux de caoutchouc, qui sont tous affublés du même sourire figé, et se met à courir en direction des escaliers. Et c'est là, sur le palier de l'étage des jouets, que le Petit Chaperon rouge arrive face au Grand Méchant Loup.

Elle ne se trompait donc pas, c'est vrai qu'il la suit…

«Oùsque tu cours de même, t'es ben pressée?

— J'ai des commissions à faire, monsieur Simoneau, pis j'avais oublié…

— Ta mére t'envoye faire des commissions, pis tu viens perdre ton temps chez Dupuis Frères à catiner avec des catins?

— C'tait ici, la commission, mais à un autre étage…»

Elle veut le contourner pour se jeter dans les marches, sortir de là, s'enfuir; il lui bloque le passage.

«Attends! Attends! J'ai pas fini!

— Mais chus pressée, faut que je fasse ma commission, pis ma mère m'attend chez nous!

— A'l' attendra encore un peu!»

Il se penche sur elle. Il est presque obligé de se plier en deux parce qu'il est très grand. Elle peut sentir son haleine de monsieur qui ne se brosse pas les dents très souvent et recule de quelques pas. Il penche la tête sur le côté, un peu comme un chien qui ne comprend pas tout à fait ce qu'on vient de lui dire ou qui pense que c'est l'heure du repas.

«Tu serais pas une petite voleuse, toé, par hasard?»

Elle sursaute. Elle ne s'attendait pas du tout à ce genre d'accusation, elle n'a surtout rien fait pour provoquer une telle insinuation, alors elle ne sait pas comment réagir et reste plantée là, bouche ouverte, subjuguée. Elle, une voleuse? Où a-t-il pu prendre ça? Et où aurait-elle pu cacher quoi que ce soit, tout ce qu'elle transporte est son petit sac en bandoulière dans lequel elle ne pourrait certainement pas cacher quelque chose d'aussi gros qu'une poupée...

«Hein, tu serais pas une petite voleuse?»

Son regard est bizarre. On dirait que ses yeux ont foncé, qu'ils sont un peu plus globuleux que tout à l'heure...

«Que c'est que tu caches? Pis où c'est que tu le caches?»

Il faut qu'elle réponde, qu'elle lui prouve qu'elle n'a rien volé pour qu'il la laisse passer. Paniquée, elle ouvre son sac.

«Vous voyez ben que je cache rien. J'ai pas de place pour rien cacher là-dedans...

— C'est quoi, tout c't'argent-là? Y a plein d'argent dans ta sacoche!

— J'vous ai dit que j'étais partie faire des commissions pour ma mère...

— A' t'envoye faire des grosses commissions! Combien c'que t'as, là-dedans? Dix piasses? Vingt?»

Il ne va quand même pas lui confisquer l'argent de son cochon qu'elle a mis une année au grand complet à ramasser!

«J'ai moins que dix piasses, j'ai juste sept piasses et onze!»

Elle regrette aussitôt d'avoir parlé. Pourquoi lui avoir dit la somme exacte? Niaiseuse! Elle a laissé échapper *la* chose qu'elle aurait dû taire, *le* détail qui va la perdre!

Monsieur Simoneau fronce les sourcils, se lèche les babines.

«Sept piasses et onze! C'est précis, ça!»

Vite! Trouver une réponse! Vite!

«A' m'a envoyée acheter des affaires qui coûtent exactement sept piasses et onze!»

Il semble s'amuser, l'écœurant.

«Ah oui? C'est quoi? Qu'est-ce qui coûte exactement sept piasses et onze? Dans quel département? À quel étage?»

Elle reste là, devant lui, muette et paralysée. Qu'est-ce qui peut bien coûter cette somme exacte?

Elle n'en a pas la moindre idée. Avant même qu'elle n'essaie d'entamer un semblant d'explication, il la prend par le gras du cou.

«Je le sais pas ce que tu caches, mais j'vas le savoir… Viens dans mon bureau, on va ben voir…»

Elle se débat, lui donne des coups de sac à main, mais il est trop fort pour elle et resserre la pression de ses doigts autour de son cou. En se retournant, elle aperçoit la vendeuse de jouets qui les regarde, les bras croisés sur sa maigre poitrine. Pourquoi elle ne vient pas l'aider? Elle ne peut quand même pas la prendre elle aussi pour une voleuse! Et laisser monsieur Simoneau l'emmener dans son bureau! Mais la vendeuse ne dit rien; elle se contente de froncer les sourcils avant de détourner la tête et de s'éloigner. Rhéauna comprend alors que tout ça est suspect, que ce n'est pas la première fois que ce genre d'incident se produit, que monsieur Simoneau ne croit pas du tout qu'elle est une voleuse et qu'il faut regarder ailleurs. Elle pense à tout ce que sa mère lui a dit au sujet des hommes, depuis un an, le danger de parler aux étrangers, la menace qui guette les petites filles trop dégourdies, la pertinence d'une histoire comme *Le Petit Chaperon rouge* dans une grande ville comme Montréal… Elle se met à trembler. Elle voudrait crier, n'y arrive pas. Elle se met à pleurer parce que son cou lui fait mal. Ils descendent quatre à quatre les escaliers qui mènent au rez-de-chaussée. Monsieur Simoneau la guide, la traîne plutôt, vers le fond du magasin, sous la mezzanine, là où le plafond est bas et l'air étouffant, derrière les fournitures d'école, à l'endroit exact où elle avait dit à sa mère qu'elle se rendait… C'est ça! C'est ça qu'elle aurait dû lui répondre! Sept piasses et onze sous de fournitures pour l'école qui commence la semaine prochaine!

Qu'est-ce qui va lui arriver? Qu'est-ce qui va lui arriver?

Son cœur bat, elle a envie de faire pipi. Personne ne vient à son secours. Des clientes et des vendeuses les regardent passer sans rien dire. Une autre petite voleuse qui mérite ce qui l'attend. Rhéauna voudrait leur crier : «C'est pas la police qu'y veut appeler! C'est pas la police qu'y veut appeler! Aidez-moi!» mais sa gorge est nouée, elle reste muette. De terreur.

Le cagibi qui sert de bureau à monsieur Simoneau pue la sueur, la cigarette et les vêtements mal lavés. Ce n'est pas un bureau, c'est à peine plus grand qu'un réduit, et ça ne doit servir que lorsque le gardien de sécurité surprend des «voleurs». Innocents comme elle ou non.

Il ferme la porte avant de libérer Rhéauna. La fillette se réfugie aussitôt derrière la petite table de bois qui mange presque tout l'espace.

«Pourquoi vous fermez la porte! Fermez-la pas!»

L'air confiné de cette minuscule salle d'interro-gatoire est oppressant, Rhéauna a de la difficulté à respirer. Elle a l'impression de s'empoisonner, elle va étouffer, elle va vomir… Son cœur bat à tout rompre, une sueur abondante a commencé à couler le long de son dos. Elle va salir sa belle robe rouge! Parce qu'un fou la prend pour une voleuse!

Monsieur Simoneau s'approche à petits pas. Son ton se fait plus doux mais, en un sens, plus menaçant : ils sont désormais seuls tous les deux, personne ne sera témoin de leur conversation, il peut donc se permettre de prendre le ton paternaliste et supérieur de celui qui sait qu'il ne peut pas perdre. Il semble savourer cet incident qu'il a lui-même provoqué. Rhéauna est convaincue qu'il sait qu'elle n'a rien volé, qu'il fait tout ça pour s'amuser, par pure méchanceté. Ou pour une autre raison qui reste mystérieuse.

«Vas-tu me le dire, ce que t'as volé, la petite voleuse en robe rouge? Hein? Pis vas-tu me le montrer, où c'est que tu l'as caché, c'que t'as volé? Hein? Faut-tu que j'aille le charcher moé-même?»

Il tend la main. Il va la fouiller, il va tâter partout sur ses vêtements, peut-être même dessous. Elle imagine déjà ses pattes sales dans son dos, sur ses cuisses, sur ses fesses, son haleine empoisonnée dans son cou, sa bouche… Et elle sent soudain un nœud de colère se former dans son ventre. Ça vient de loin, c'est froid, dur, violent, ça l'empêche de respirer, mais ça lui donne aussi le courage de réagir qu'elle n'aurait pas eu si elle s'était laissée aller à la peur comme il l'avait sans doute escompté. C'est comme ça qu'il doit fonctionner : il fait d'abord peur à ses victimes, les menace, puis, ensuite, il peut faire tout ce qu'il veut avec parce qu'elles n'osent pas lui résister, il représente la loi, la justice, il est le plus fort…

Alors elle se met à hurler. C'est un cri strident d'enfant désespérée qui ne trouve rien d'autre pour exprimer sa terreur, un son perçant qui traverse la porte du bureau de monsieur Simoneau pour aller se disperser un peu partout au rez-de-chaussée du grand magasin. Donner l'alerte. Par tous les moyens. Prévenir tout le monde. Du danger. Du danger de ce fou à qui on a confié des responsabilités qu'il ne méritait pas.

Monsieur Simoneau a sursauté, étonné de la réaction de Rhéauna qui profite de ces quelques secondes d'hésitation pour transformer ses cris en accusations :

«Pourquoi vous avez fermé la porte? Hein? Pourquoi vous avez fermé la porte! Vous avez pas besoin de fermer la porte pour me poser des questions!»

Elle pousse le gros homme qui sent plus fort, tout à coup, comme les hommes soûls qu'elle croise parfois dans la rue et qui lui font froncer le nez. Elle le contourne, s'empare de la poignée, ouvre la porte. Elle pourrait sortir, s'enfuir, mais, rassurée par la présence de plusieurs clientes qui sont accourues en entendant ses hurlements, elle se tourne vers lui, la main sur le cœur.

«Vous avez pas honte! Maudit cochon! Maudit cochon! Qu'est-ce que vous auriez fait si je m'étais pas mis à crier, hein? Avec la porte fermée! Qu'est-ce que vous vouliez me faire!»

En fait, elle ignore ce qu'il voulait lui faire, sa mère n'a pas encore eu avec elle cette «fameuse» conversation entre femmes que les religieuses de son école annoncent à mots couverts depuis des mois au sujet des rapports entre les hommes et les femmes. Ce qu'elle sait, cependant, c'est que ces choses-là ne doivent pas se passer dans un cagibi au fond d'un grand magasin entre un faux policier qui pue et une petite cliente apeurée. Mais quoi? Quoi? Qu'est-ce que c'est? Comment ça se passe? Comment ça se fait?

Elle se laisse emporter par ses propres paroles.

«C't'argent-là, c'est pour m'acheter des fournitures, vous saurez! J'ai cassé mon cochon pour m'acheter des fournitures d'école, pis vous avez pas le droit de me poser des questions comme si j'étais une voleuse! Dans une pièce qui pue, en plus, avec la porte fermée!»

Bouche bée, il s'est assis sur sa petite table. Il ne pense même pas à essuyer la sueur qui a commencé à lui couler sur le front, sur les joues, jusque dans son cou. De toute façon, son mouchoir doit être crasseux, il se salirait encore plus.

Rhéauna profite de ce moment d'accalmie pour prendre ses jambes à son cou. Elle se fraie un passage parmi les femmes qui se sont entassées devant la porte du bureau de monsieur Simoneau et se met à courir dans les allées du magasin en direction de la sortie, de la liberté. Elle traverse tout le rez-de-chaussée, paniquée, la peur au ventre, des bourdonnements aux oreilles, et crie à mademoiselle Cusson en passant dans le rayon des parfums :

«Y a-tu des polices pour arrêter une police? Si y en a, appelez-les tu-suite! Monsieur Simoneau est un fou!»

Rhéauna pousse la porte à deux battants et se retrouve sous la marquise, à l'abri du soleil d'août qui cogne fort. L'air est visqueux, l'humidité qui s'est posée sur Montréal comme une cloche de verre fait vibrer tout ce qui se trouve dans son champ de vision : le tramway qui passe fait penser à une chose molle qu'elle pourrait pétrir entre ses mains, les chevaux ont l'air faux parce que la lumière est trop crue, la foule pourrait tout aussi bien être faite de fantômes sans consistance.

Elle continue sa course jusqu'au coin de la rue Saint-Hubert où elle s'écroule sur un banc de bois. Elle regarde dans la direction d'où elle est venue. Non. Personne ne la suit. Le faux policier n'a pas osé protester, mademoiselle Cusson est peut-être en train de parler à la vraie police de Montréal.

Le doute s'empare d'elle aussi vite que la colère de tout à l'heure. Et s'il avait été sincère? S'il avait vraiment pensé qu'elle avait volé quelque chose? Si, après tout, il n'avait fait que sa job? Ce n'est pas parce qu'il puait qu'il était coupable! Mais non. Ses yeux. Ses yeux n'étaient pas normaux, c'étaient des yeux de fou. Mon Dieu! Et si elle se trompait?

Et qu'est-ce qu'elle va faire quand elle va retourner chez Dupuis Frères? Est-elle condamnée à ne plus jamais y remettre les pieds? Même en compagnie de sa mère?

Elle ressent une grande fatigue. Elle devrait faire demi-tour, retourner chez elle, se réfugier dans la quiétude de l'appartement de la rue Montcalm, dans les rires de son petit frère et les remontrances de sa mère. Une fillette, ce n'est pas fait pour courir les rues comme ça, pour partir en quête d'aventures sur lesquelles elle n'a aucun contrôle. Elle a eu de la chance, tout à l'heure, mais ça pourrait ne pas se reproduire… Et, une fois de plus, l'idée de la guerre qui s'approche peut-être à grands pas la fait frémir. Elle pense à la maison de ses grands-parents, si loin et si protégée de tout danger, à ses sœurs dont elle se meurt d'entendre les rires et les cris d'excitation quand elles vont les voir arriver, elle, son frère, leur mère, et se redresse sur son banc. Une illusion. C'est vrai que ce n'est qu'une illusion. Mais une belle illusion. Et elle doit la suivre jusqu'au bout.

Octobre 1912

Trois madames se tenaient devant Maria dans le long corridor qui coupait l'appartement en deux. Proprettes. Un peu raides. La plus vieille, sans doute Alice, la femme d'Ernest, avait le regard vague des alcooliques qui se trouvent à mi-chemin entre l'ivresse encore contrôlée et l'enivrement sans espoir. Elle savait où elle se trouvait, mais pour combien de temps? Elle se tenait bien droite, la taille cambrée, le buste haut, le cou étiré; on sentait cependant que ça lui demandait un effort quasi surhumain et que tout pouvait lâcher d'une seconde à l'autre. Le plâtre de la bienséance, le maquillage exigé par les convenances feraient alors place aux divagations et aux gestes erratiques. Maria le comprit en quelques secondes parce que cette femme toute minuscule lui faisait penser à son mari et au reste de la famille Rathier qui se retrouvaient souvent dans cet état annonciateur de sanglots d'apitoiement sur soi ou de violence gratuite. C'est *ça* que son frère avait épousé? Pauvre homme. Il n'était pas mieux nanti qu'elle l'avait elle-même été. Elle ne reconnut pas les autres tout de suite. Deux petites femmes dans la trentaine qui auraient tout aussi bien pu avoir quarante ou cinquante ans tant leur mise, pourtant soignée, sortait d'un autre âge : robe un peu trop longue, un peu trop large, col de dentelle chez celle de gauche, la grassette, manches bouffantes chez l'autre, la plus élégante, pli amer à la commissure des lèvres et fronts soucieux dans les deux cas. Des femmes qui avaient vécu des choses difficiles et dont le cœur avait durci avant le temps. Comme elle, comme la femme qu'elle voyait dans son miroir, le matin, en faisant sa toilette. Belles, pourtant, impressionnantes dans cette dignité affectée qui ne faisait toutefois pas illusion. Et étrangement familières. Ces beaux visages, ces fronts bombés, ce méplat des joues caractéristique aux...

Maria a porté ses mains à son cœur en reculant de quelques pas.

Les yeux rapprochés placés haut dans le visage, le teint cuivré, les fossettes chez la plus grande...

Ernest s'est raclé la gorge avant de parler.

«T'es chanceuse, t'es tombée sur notre soir de poker.»

Tititte! Teena!

Elle a fermé les yeux.

(C'est l'été. Il fait très chaud. Il n'a pas plu depuis des semaines et les feux de broussaille ont commencé à faire des ravages aux alentours du petit village de Maria. Ils sont tous les cinq installés sur la galerie de la grande maison blanche pour prendre un peu d'air avant d'aller se coucher. Joséphine a préparé une limonade avec le seul citron qu'elle a pu trouver chez monsieur Connells, Méo tire sur sa maudite pipe qui sent trop fort la vanille. Quant aux trois sœurs Desrosiers, Tititte, Teena, Maria, elles se chamaillent au sujet d'un jeune homme de Saskatoon qui visite leur village assez souvent depuis quelque temps et dont on dit qu'il est à la recherche d'une femme. C'est un bon parti, semble-t-il, un fils de riche cultivateur, et les jeunes filles à marier de la paroisse en sont tout excitées. Sauf Maria Desrosiers, bien sûr :

«C'est pas en visitant des villages qu'on trouve une femme, voyons donc! On dirait qu'y veut s'acheter un manteau d'hiver! Y va-tu vérifier notre dentition, un coup parti, nous fouiller dans les oreilles pour voir si on a pas des poux? Y a quand même une différence entre vouloir se trouver une femme pis s'en acheter une au fin fond de la campagne parce qu'a' va coûter moins cher!»

Tititte, la plus rêveuse, et pourtant la plus vieille, trouve ça plutôt romantique qu'un étranger sillonne les routes, comme ça, à la recherche de l'être aimé. Ici, les mariages sont la plupart du temps arrangés entre parents, dans la même paroisse, et les mariés se connaissent trop quand ils se pointent à l'église parce qu'ils se sont fréquentés depuis leur enfance.

«J'aimerais ça, moi, qu'y en aye un qui arrive, comme ça, pis...

— ... qu'y t'enlève sur son cheval blanc?

— Pourquoi pas! J'te dirai même que j'me contenterais d'un cheval de n'importe quelle couleur, pis même d'une vieille picouille!»

Maria éclate de rire.

«D'abord qu'y est beau pis qu'y est pas dangereux!»

Tititte se raidit.

«Ris pas! Chus sérieuse!

— C'est ben pour ça que je ris!»

Elle lui pose une main sur l'épaule.

«N'importe quoi pour sortir d'ici, hein, Tititte?

— C'est pas ça que j'ai dit...

— ... mais c'est ça que ça voulait dire...

— Pantoute...

— Tu dis que tu me crois pas quand je crie que je veux partir d'ici à tout prix, mais t'aimerais ben ça avoir le courage de le faire toi aussi, hein?»

Teena intervient avant que la conversation ne s'envenime. Elle connaît ses sœurs et sent venir la cassure, le moment où cette discussion va se transformer en chicane sans fin que leur mère aura toute la misère du monde à contrôler parce que Maria et Tititte ne s'entendent jamais. Sur rien.

«Arrêtez donc, là, vous deux, vous allez encore me faire échapper des mailles!»

Teena tient entre ses mains un tricot informe sur lequel elle travaille depuis déjà plusieurs semaines

113

et qu'elle va sans doute abandonner bientôt sous le regard moqueur de ses sœurs parce qu'il est irrécupérable. C'est un patron que sa mère lui a fait venir par catalogue, celui de Eaton, le plus beau, en lui disant qu'il était facile à suivre et que ça lui ferait un beau chandail de laine pour l'hiver. La laine était bleu nuit, les aiguilles un peu trop grosses. Teena n'a aucun talent pour le tricot et ce qu'elle tripote entre ses mains, sur la galerie, le soir, pour faire plaisir à Joséphine, ressemble plus à un manteau d'hiver pour chien qu'à un chandail de laine qu'elle pourrait afficher avec fierté à la grand-messe, le dimanche.

«Si vous arrêtez pas, j'vas vous obliger à le porter!»

Et elle tend le tricot vers elles.

Maria s'en empare, le retourne de tous côtés.

«Peut-être qu'en se le mettant sur la tête, on pourrait faire croire que c'est un casque d'hiver...»

Ce qu'elle fait. Elle s'en empare, l'étire et se l'enfonce sur la tête. Les deux bras – de longueur différente – lui tombent de chaque côté du visage; on dirait le chien de la ferme voisine qui a les oreilles trop longues et qui marche toujours dessus en geignant parce que ça lui fait mal.

«En tout cas, c'est pas avec ça sur la tête que le Prince Charmant va me remarquer!»

Maria fait quelques pitreries, imite le chien de madame Chartier, Beauté, le mal nommé, quand il s'enfarge dans ses oreilles trop longues.

Tout le monde rit de bon cœur, la tempête est passée, la catastrophe a une fois de plus été évitée grâce aux facéties de Maria.)

Avant de rouvrir les yeux, Maria se demande si c'est ce qu'on attend d'elle : qu'elle trouve une réplique drôle, une entourloupette pour alléger l'atmosphère, qu'elle fasse dévier la conversation pénible qui risque de s'amorcer, comme elle s'est si longtemps sentie obligée de le faire quand elle était jeune? effacer douze ans de séparation avec une réplique assassine? faire comme si le temps n'était pas passé, qu'elle ne s'était pas mariée, qu'elle n'avait pas eu trois enfants, qu'elle n'en attendait pas un autre, ignorer le fait que ses sœurs avaient mal vieilli et prétendre que tout allait bien? ou alors jouer les enfants prodigues, tête basse et épaules arrondies? dans l'espoir qu'on lui pardonne? Mais quoi? Non, il n'en est pas question. Elle se sent piégée, même si elle sait que ses sœurs n'auraient jamais eu le temps de traverser la ville pour venir l'attendre au fin fond de Ville-Émard au cas où Ernest les aurait prévenues. Elle est venue demander du secours à une seule personne, et elle se retrouve devant sa famille presque au complet réunie autour d'un poker, plus cette alcoolique qui va tomber en pleine face d'une seconde à l'autre si personne ne la soutient. Tant d'heures en train à se faire brasser, pour aboutir ici, au milieu d'une odeur de soupe au chou mêlée à de la boucane de cigare!

Elle a mal au cœur, elle va vomir, il faut qu'elle demande où sont les toilettes.

Et après douze ans sans revoir son frère ni ses sœurs, ce sont les premières paroles qu'elle prononce. Sans rouvrir les yeux.

«J'peux-tu vous demander où sont les toilettes? J'me sens pas ben.»

Ernest la prend par le bras, Tititte et Teena s'agitent autour d'elle – elle le devine au froufrou des robes et au parfum un peu sucré qui s'intensifie dans le corridor et accentue sa nausée.

«Viens, c'est par là... Fais ce que t'as à faire, pis tu reviendras... J'ai un bon remède si t'as de la misère à digérer... C'est Alice qui m'a fait découvrir ça... Ça goûte pas bon, mais c'est ben efficace... Y en a une grosse bouteille dans la pharmacie.»

Elle a envie de lui crier que ce n'est pas sa digestion qui fait problème, qu'elle attend un enfant dont elle ne veut pas, qu'elle a décidé de le garder et de refaire sa vie. Ici. À Montréal. Avec son aide. À lui. Pas à elles. Qu'elle aurait même souhaité que

Tititte et Teena ne sachent pas qu'elle était revenue. Du moins pour le moment. Même si on ne peut pas appeler ça un retour puisqu'elle n'a jamais mis les pieds à Montréal. Au bout de tant d'années, tous les enfants Desrosiers se retrouvent donc à Montréal, le dernier refuge, le lieu d'où est autrefois partie leur famille à la recherche d'une vie meilleure. Une vie meilleure! L'enfer, oui! L'esclavage! La honte! Le mépris!

Elle espère qu'ils ne l'entendent pas éructer, cracher, les doigts d'une main dans la gorge et l'autre soutenant une débarbouillette d'eau froide sur son front.

Tant pis. Elle a bien le droit d'être malade.

Elle s'est relevée, s'est passé la débarbouillette sur tout le visage. Puis s'est regardée dans la glace. Elle a quand même moins vieilli que ses sœurs, non? Mais elle voit son visage tous les jours, pas elles. Qu'ont-elles pensé en la voyant? «V'là la guidoune qui revient!» «Mon Dieu qu'a'l' a vieilli! Quel genre de vie a'l' a ben pu avoir!» «A' doit avoir besoin d'argent, c'est comme rien.» Oui. C'est vrai. Elle a besoin d'argent. Et d'un travail. Et d'un appartement. Une chambre, du moins… Elle a appuyé les coudes sur le rebord de l'évier qui sent les bonbons à la menthe parce qu'Alice doit sans aucun doute venir ici masquer son haleine d'alcool.

Et elle a pleuré. Devant l'absurdité de son projet. Devant sa niaiserie. Et la situation sans issue dans laquelle elle s'est jetée.

Ernest est venu frapper à la porte à deux reprises.

«Ça va-tu, Maria?»

Que lui répondre? Tout est parfait? La vie est belle? Ils ne perdent rien pour attendre parce qu'elle a des tas de nouvelles histoires toutes plus drôles les unes que les autres à leur raconter? Le boute-en-train, encore? Le clown?

Elle s'est contentée d'émettre un grognement qui pouvait passer pour un acquiescement. Puis s'est assise sur la lunette. Elle a eu envie de se coucher dans la baignoire, sur le dos, les bras croisés sur la poitrine, comme une morte dans sa tombe. Et de faire couler sur elle de l'eau tiède à n'en plus finir. De l'eau tiède qui arrêterait le temps et qui finirait par l'endormir. Pour toujours.

Elle va le faire, elle a presque levé un pied pour enjamber le bord de la baignoire quand une voix féminine lui parvient à travers la porte. Une voix qui parle en anglais.

«Maria? This is your sister-in-law, Alice. Do you need anything? Open the door, please.»

Alors elle se met à rire. C'est énorme, ça vient de loin, c'est épuisant, mais elle se sent allégée de ce poids intolérable qui lui pesait sur le cœur depuis son départ de Providence. Tout ça est drôle, au fond, non? Sa propre bêtise, sa naïveté, sa tête folle incapable de réfléchir aux conséquences de ses agissements?

Elle ouvre l'armoire à pharmacie, débouche la bouteille de remède pour la digestion à moitié vide et en prend une longue lampée. Un goût abominable lui envahit la bouche et elle se remet aussitôt à vomir. Tout en continuant de rire.

Lorsqu'elle a tiré la porte de la salle de bains, ses deux sœurs l'attendaient dans le corridor. Pas Ernest. Ni sa femme. Elles se tenaient toujours aussi droites dans leurs vêtements désuets. Cette fois, cependant, Maria a lu dans leurs yeux une nuance qu'elle n'avait pas vue plus tôt. De la compassion? De l'affection? Plus que de l'affection? Leurs sourcils étaient froncés, oui, mais elle n'y a senti aucune espèce de jugement.

Teena a traversé le corridor, lui a posé une main sur l'épaule.

«Tu ressous ben vite, Maria. Une vraie *jack-in-the-box*. Qu'est-ce qui se passe?»

Tititte l'a imitée, mais c'est l'avant-bras de Maria qu'elle a flatté du bout des doigts.

«Tu nous donnes pas de tes nouvelles pendant douze ans, pis tu reviens du bout du monde sans nous avartir, tout d'un coup, un soir d'octobre. Pis la première chose que tu fais en arrivant, c'est d'aller renvoyer dans les toilettes! On est inquiètes, Maria, on est ben inquiètes. Pis Ernest aussi.»

Inquiètes? L'éternelle inquiétude de leur clan! Elle croyait cette partie de sa vie, son existence avec les Desrosiers, sa rupture avec eux, sa fuite, cette nouvelle vie qu'elle avait d'abord crue merveilleuse loin de la Saskatchewan et qui s'était révélée si décevante, réglée une fois pour toutes. Elle n'avait jamais, jamais eu envie d'avoir de leurs nouvelles, alors pourquoi elles, ses sœurs qu'elle avait cru détester, se seraient-elles inquiétées pour elle? Mais Ernest n'avait-il pas utilisé ses contacts dans la police montée pour la retrouver, quelques mois plus tôt? Tititte et Teena devaient être au courant, c'était une preuve d'intérêt sinon d'affection, non? C'était donc elle, en fin de compte, la sans-cœur qui n'avait pas voulu avoir de leurs nouvelles pendant tout ce temps, pas eux.

Elle s'est appuyée contre la porte de la salle de bains qu'elle venait de refermer pour que les odeurs qu'elle y avait laissées ne s'échappent pas. Elle a croisé les bras et les a regardées chacune à leur tour dans les yeux comme elle le faisait, petite, quand elle allait leur dire une énormité. Tititte et Teena ne s'y sont pas trompées et ont reculé d'un pas.

Maria, la frondeuse, était revenue, on pouvait s'attendre à tout. Surtout à des choses désagréables.

Elle a parlé tout bas, mais sans baisser les yeux.

«J'attends un quatrième enfant. D'un homme que j'ai pas marié. Pis je sais pus quoi faire. Ernest m'avait offert de m'aider si jamais j'avais des problèmes… Ben j'en ai un, là. Pis un maudit gros.»

Dire que le silence fut long serait atténuer la vérité. En fait, il se prolongea entre elles pendant de longues minutes. On aurait dit que les paroles de Maria continuaient à résonner dans la maison, qu'elles rebondissaient sur les murs, qu'on pourrait les entendre pendant des années, que les nombreux occupants de l'appartement qui viendraient après Ernest et Alice pourraient écouter quand ils le voudraient Maria murmurer sa courte confession, avouer l'indicible dans cette société où donner naissance à un enfant en dehors du mariage était un crime sans pardon.

«Ben, dites quequ'chose!»

Elle n'a pas élevé la voix, elle a juste demandé une réaction à une révélation qu'elle devinait terrible pour elles.

Tititte s'est passé les mains dans les cheveux en les lissant vers le haut comme pour replacer une mèche qui n'avait pas bougé.

«Qu'est-ce que tu veux qu'on dise, pauvre p'tite fille? T'es veuve, pis t'es t'enceinte, c'est pas simple!

— J'ai pas dit que c'était simple pis je sais que ça l'est pas, j'ai juste dit que j'avais besoin d'aide...»

La voix d'Ernest leur est parvenue du salon.

«J'veux ben croire que ça fait longtemps que vous vous êtes pas vues, mais ça va faire, là, les messes basses!»

Elles répondent automatiquement au son de sa voix, comme lorsqu'elles étaient petites et qu'il les menait à grands coups de gueule. Elles se dirigent vers le salon sans se toucher.

La pièce, minuscule, est remplie de meubles trop gros : un canapé monstrueux, foncé, rouge à motif de feuilles d'acanthe, flanqué de deux bergères jumelles vert bouteille, accaparent presque tout l'espace disponible. Une longue table basse longe le canapé et ses deux occupants, Alice et Ernest, doivent plier les genoux en tenant leurs jambes près de la base en bois chantourné pour ne pas s'y frapper les tibias. Les rideaux opaques qui masquent la fenêtre sont eux aussi vert et rouge. Quelques cadres représentant des panoramas de l'Ouest canadien – le lac Louise, les Rocheuses, une rue de Banff –, placés trop haut, pendent aux murs. C'est étouffant et ça sent le cigare bon marché. On dirait un décor du temps des fêtes vieilli par l'usure du temps. Une vitrine de Noël – tout ce vert, tout ce rouge! – qu'on a abandonnée à son sort et dont les couleurs ont fini par passer. La fenêtre est fermée, l'air de la pièce s'en trouve donc trop sec, et Maria a peur que ses nausées la reprennent.

Ses deux sœurs étant installées dans les fauteuils, Maria se retrouve debout au milieu de la pièce; une accusée devant ses juges. Il y aurait bien une place entre son frère et sa belle-sœur dans le sofa massif et de toute évidence inconfortable, mais ils seraient tassés et, en plus, elle verrait tout le monde de profil. Et ce qu'elle a à leur confier doit se dire bien en face.

Ernest a soupiré en secouant son cigare pourtant éteint dans le cendrier placé près de lui sur une petite table dominée par une longue lampe torchère en métal et verre dépoli.

«Tu vas pas rester deboute de même… Teena, va donc y charcher une chaise dans' cuisine.»

Il ne s'est pas adressé à sa femme qui, de toute façon, aurait été bien embêtée de porter une chaise de la cuisine au salon dans l'état où elle se trouve. On aurait dit qu'elle dormait les yeux ouverts. Pas un muscle ne bougeait, ses yeux étaient fixes, elle était à l'évidence perdue dans les brumes de l'alcool et sans doute heureuse d'échapper à la réalité déprimante de ce salon étouffant déguisé à l'année en arbre de Noël.

«Non, non, laisse faire, Teena, j'vas aller m'en chercher une…»

En traversant l'appartement, Maria ne peut pas s'empêcher de regarder un peu partout. Tout est lourd, foncé, déprimant. La chambre à coucher est aussi surchargée que le salon – le lit double paraît même étroit pour deux personnes tant ce qui l'entoure est écrasant – et la cuisine, propre et luisante comme un sou neuf, n'a aucune espèce de personnalité : c'est fonctionnel, sans imagination et laid.

Elle soulève une chaise de bois, la trouve trop pesante, et décide de la tirer jusqu'au salon.

Personne n'a bougé. Maria a installé la chaise juste en face d'Ernest et d'Alice qui a fermé les yeux et penché la tête. Elle dort. De toute façon, elle n'aurait rien saisi de ce que Maria aura à leur raconter puisqu'elle ne comprend pas le français.

Ils ne posent aucune question. Ils se contentent tous les trois de la regarder.

Alors elle commence son récit.

Elle raconte tout d'un bout à l'autre. Sa vie depuis douze ans, Providence, son mariage, ses trois enfants, la disparition de son mari, sa déchirante séparation d'avec Rhéauna, Alice et Béa, qu'elle a dû envoyer vivre chez leurs grands-parents, en Saskatchewan, parce qu'elle ne pouvait pas travailler dans une manufacture de coton et élever trois filles en même temps – quoique cette partie ils la connaissent sans doute par leur mère, Joséphine, qui les a tenus au courant durant toutes ces années sans toutefois jamais leur révéler où Maria se cachait parce qu'elle le lui avait promis –, l'arrivée de monsieur Rambert dans sa vie alors qu'elle désespérait de rencontrer un jour un autre homme, sa gentillesse, sa politesse, sa grande générosité, l'espoir d'une période heureuse, enfin, le projet de faire revenir ses enfants en Nouvelle-Angleterre et de recommencer sa vie, même si elle n'était pas veuve de façon officielle, et ça, cet événement-là qu'elle ne méritait pas et qui vient de lui tomber dessus comme une tonne de briques. Puis, en dernier lieu, sa deuxième grande fugue qu'elle sait illusoire et inutile et qui l'a amenée ici, ce soir, dans ce salon étouffant, installée comme une paria devant un tribunal familial.

Elle n'a pas baissé les yeux une seule fois. Elle les a observés tout au long de son récit; elle est passée d'un visage à l'autre, elle a essayé de deviner ce qui se cachait derrière leurs regards, mais ils ne laissaient rien paraître, sauf peut-être Teena dont les yeux se sont quelque peu embués lorsqu'elle a parlé de sa grossesse. Elle pouvait donc compter sur une alliée qui la défendrait peut-être si les deux autres la condamnaient sans appel.

Pendant tout ce temps, sa belle-sœur Alice a ronfloté, la tête appuyée sur le dossier du canapé, les mains posées le long de ses cuisses, abandonnée aux rêves apaisants, à l'engourdissement libérateur provoqué par l'alcool. Avant l'arrivée du maudit mal de bloc.

Lorsqu'elle a eu terminé, Maria a fermé les yeux en se disant qu'elle ne les rouvrirait que pour écouter la sentence.

La première voix qu'elle a entendue était celle de son frère, mais il parlait de sa femme :

«J'vas encore être obligé de la déshabiller pis de la coucher. Des fois, j'ai envie de la laisser là toute la nuit pour y faire honte…»

Puis celle de Tititte :

«J'vas t'aider…»

Rien d'autre ne venant, elle a rouvert les yeux. Allaient-ils ignorer ce qu'elle venait de leur raconter, oublier ce qui avait été dit et continuer leur conversation comme si elle n'avait pas été là, devant eux, seule et désespérée après cette pénible confession?

Mais Teena était en train de se mettre à genoux devant elle et avançait les mains pour les poser sur ses cuisses. Une madame grassette et toute menue accroupie sur un tapis jadis fleuri, usé jusqu'à la corde mais propre. Tout son corps tremblait et lorsqu'elle a parlé, Maria a été obligée de pencher la tête vers elle pour la comprendre.

«Moé aussi j'en ai eu un… Un enfant… Un tit-bébé… Avec un homme que j'avais pas marié… pis qui est parti. Y s'appelle Ernest, comme notre frère, pis c'est le grand amour de ma vie.»

Les deux autres regardent par terre. Maria comprend qu'ils ne pouvaient rien dire avant que Teena ne parle. Son cœur s'allège d'un seul coup, un souffle d'espoir lui monte à la tête, l'étourdit pendant un moment. Elle ouvre les bras, elle serre Teena contre elle pendant qu'un grand cri de délivrance sort de sa poitrine. Elles pleurent toutes les deux, s'embrassent, s'étreignent. Tititte écrase une larme, Ernest, de son côté, toussote dans son poing.

Alice laisse échapper un petit rire dans son sommeil; elle rêve aux anges. Ou bien à une nouvelle bouteille de gin Bols.

Août 1914

Le soleil lui tape sur la nuque ; ça lui fait du bien. Elle est restée immobile quelques minutes sur son banc de bois, attendant que son cœur se calme. La peur a fini par la quitter, elle a même décidé d'oublier l'incident avec monsieur Simoneau, sinon sa journée serait gâchée et il n'est pas encore dix heures du matin. Le principal est qu'elle lui ait échappé. Elle réfléchira à tout ça une autre fois. Elle a regardé les gens, surtout des femmes, déambuler sur le trottoir de la rue Sainte-Catherine en jasant, indifférents au bruit de la circulation pourtant de plus en plus importante et désordonnée. Des explosions de sons se sont produites autour d'elle, des chevaux ont henni comme s'ils souffraient, des klaxons ont retenti pour rien, plusieurs tramways sont passés derrière elle en la frôlant presque, mais elle ne s'est pas retournée une seule fois. C'est la cohue humaine qui l'intéresse. Elle resterait bien là toute la journée, au soleil, à regarder le défilé des robes de toutes les couleurs, dont certaines, à son grand étonnement, sont courtes au point de laisser paraître les bottines lacées au complet, chose impensable là d'où elle vient. À essayer de capter des bribes de conversations, aussi. À rire de la démarche de certaines personnes. À caresser des têtes de bébés. Mais son absurde plan doit être mené à terme, elle est portée par l'obligation de se prouver qu'elle peut le réaliser, et elle va se lever pour repartir vers l'ouest en laissant ses rêveries derrière elle lorsqu'une voix flûtée crie son nom.

«Rh'auna D'rosiers! Qu'est-ce tu fais là, t'seule c'mme une p'rdue? Attends-tu ta mére?»

C'est Marie-Berthe Beauregard, la fille la plus teigne, la plus collante de sa classe, qui s'approche en se dandinant en compagnie d'une maîtresse femme à qui elle ressemble à faire peur. On dirait la même femme en deux versions, l'une dans la fleur de l'âge, souple, presque bondissante et de toute évidence fière d'elle-même, l'autre encore en formation – à l'état de projet, pourrait-on dire –, et qui fait tout pour ressembler à la première : même coiffure, même démarche, en moins habile, bien sûr, même port de tête. Et même tendance à l'embonpoint. Mais ce sont les visages qui attirent surtout l'attention : ils sont identiques, au point que des têtes se tournent sans cesse sur leur passage. Tout le monde a l'air d'avoir envie de leur dire qu'elles se ressemblent. Comme si elles ne le savaient pas et ne misaient pas justement là-dessus pour se faire remarquer. Avec un évident succès.

Rhéauna ne peut hélas pas les éviter et reste assise, les mains croisées sur ses genoux, s'en voulant presque de ne pas être repartie plus tôt.

«Ta mére 'tu partie m'gasiner?»

Marie-Berthe a été l'une des premières élèves de l'Académie Garneau à rire de l'accent de Rhéauna, alors qu'elle est elle-même affublée d'une sorte de parler très rude, précipité, où les mots, mâchés, déformés, sont souvent difficiles à saisir. Du moins pour Rhéauna que sa grand-mère a toujours obligée à tout bien prononcer, d'une façon claire, peut-être un peu appuyée, mais au moins compréhensible. Qu'importe l'accent si on se fait comprendre?

«Moé pis la mienne, on s'en va m'ach'ter des bottines pour 'ller 'ècole…»

Rhéauna se rend alors compte que Marie-Berthe porte l'uniforme de leur école, une robe de couventine en serge noire munie d'un col et de manchettes en celluloïd blanc. En pleine chaleur! Pas étonnant qu'elle soit aussi rouge et aussi luisante!

Rhéauna ne peut pas s'empêcher de la détailler de la tête aux pieds en lui disant :

«Qu'est-ce que tu fais habillée comme ça en plein mois d'août pour l'amour du bon Dieu? On va être obligées de porter ça pendant toute l'année, du mois de septembre au mois de juin, c'est pas assez?»

Marie-Berthe s'assoit à côté d'elle et passe un doigt entre le col raide de son uniforme et son cou tout mouillé.

«J'viens t'l'dire, on s'en va m'ch'ter des bottines!

— T'as besoin de porter ton uniforme pour t'acheter des bottines?

— Faut qu'y aillent ensemble!

— Ben oui, mais y a pas quarante sortes de souliers, pour nous autres! Les sœurs nous obligent à porter le même genre d'affaires laides qui nous donnent l'air d'une gang de vieilles filles!»

Devant l'argument incontournable de Rhéauna, Marie-Berthe décide de faire dévier la conversation et montre sa compagne de classe du doigt en disant à sa mère :

«'Gard, m'man, c'est elle que j'te d'sais qu'a' p'rlait drôle…»

Madame Beauregard porte une main à sa bouche comme pour réprimer un fou rire. Et regarde Rhéauna d'un air condescendant.

«J'comprends ç'tu veux dire…»

Rhéauna aurait envie de les mordre.

«T'sais, là, c't'elle qu'a tr'v'rsé tout le C'n'da pour v'nir r'joindre s'mére qu'est veuve?»

Madame Beauregard fronce les sourcils en exagérant une mine de compassion qui fait penser aux mimiques des actrices de vues animées que Rhéauna trouve si ridicules avec leurs grands yeux ronds trop maquillés.

«T'mére est veuve! Pau' tite-fille!»

Bon, elle en a assez. Rhéauna se lève et défripe sa belle robe rouge en tournant devant Marie-Berthe qui continue de suer au soleil dans ses vêtements trop chauds pour la saison.

«Excusez-moi, mais faut justement que je m'en aille acheter des billets de train pour retourner en Saskatchewan. J'pars avec ma mère veuve pis mon petit frère orphelin!»

Marie-Berthe sursaute.

«Tu t'en vas?

— Ouan.

— Tu r'tournes en S'sk'tch'wan?

— Ben oui. On se reverra pus. C'est le fun, hein?»

Rhéauna les plante là et s'éloigne en se dandinant.

Elle regrette aussitôt ce qu'elle vient de dire. Elle se doute bien qu'elle ne pourra peut-être pas partir, qu'elle aura à affronter Marie-Berthe Beauregard et son accent à couper au couteau au début de septembre, que cette dernière va sans doute en profiter pour rire encore plus d'elle avec ses amies, toutes plus malveillantes les unes que les autres, qui lui ont fait la vie impossible pendant sa première année à la maudite Académie Garneau.

Elle s'était pourtant préparée pendant les quelques jours qui avaient précédé le début de l'année scolaire. Elle savait qu'elle parlait d'une façon différente des autres enfants avec lesquels elle allait étudier parce qu'elle venait de loin et que leurs réactions ne seraient peut-être pas des plus positives. Elle avait elle-même rencontré quelques difficultés, au début, à comprendre ce que lui disaient certains Montréalais qui, comme Marie-Berthe Beauregard, parlaient trop vite et mangeaient la moitié de leurs mots. Mais ce qu'elle avait rencontré à l'Académie Garneau, les moqueries, la méchanceté, la jalousie, dépassait tout ce à quoi elle s'était attendue. Il faut dire qu'elle n'avait pas aidé sa cause en dévoilant dès les premiers jours à quel point elle était intelligente et apprenait vite. On aurait peut-être mieux toléré son accent de la Saskatchewan, pourtant léger, si elle s'était montrée moins brillante. Pour se faire accepter de ses compagnes et gagner leur respect, elle avait travaillé d'arrache-pied à rattraper son évident retard sur elles – le système d'enseignement de Montréal était très différent de celui de Maria où toutes les classes se retrouvaient réunies dans une même pièce et où le professeur enseignait toutes les matières et tous les niveaux, en même temps –, et dès le premier bulletin de l'année scolaire, celui de septembre, elle était arrivée quatrième de sa classe. Alors qu'elle aurait sans doute dû faire le contraire, jouer la fille de la campagne pas trop intelligente et un peu perdue dans la grande ville, ou se montrer insolente avec la religieuse pour s'attirer la sympathie des cancres de sa classe. L'insolence et la gaucherie attiraient le respect, pas la réussite. Vingt-quatre petites filles l'avaient donc détestée parce qu'elle les avait devancées en quelques semaines et trois autres parce qu'elles se sentaient menacées par ses talents.

En plus, la religieuse s'était prise d'affection pour elle, ou de pitié, et on l'avait vite appelée licheuse et chouchou de la sœur.

Condamnée aux moqueries et tenue à l'écart, elle avait tout de même décidé de ne pas se laisser avoir par le découragement et s'était jetée dans les études avec une frénésie qui avait vite porté ses fruits : au bulletin d'octobre, elle avait gagné une place. Et s'était fait une ennemie de plus.

Les fillettes qui fréquentaient l'Académie Garneau n'étaient pourtant pas foncièrement méchantes. Mais elles avaient été élevées par des mères issues d'une société renfermée sur elle-même depuis trop longtemps, des femmes qui se méfiaient de tout ce qui était différent de ce qu'elles connaissaient – surtout les étrangers – et qui éduquaient leurs enfants dans les principes stricts d'une religion étouffante qui abusait du mot charité sans en avoir la moindre notion. C'est donc par ignorance que ses compagnes de classe avaient d'abord manqué de générosité envers cette nouvelle venue qui ne parlait pas comme elles et, ensuite, par jalousie.

Rhéauna avait souffert tout ça en se disant que ses compagnes finiraient bien par l'accepter, par apprécier ses qualités, ou alors que cet accent qui faisait d'elle un être à part des autres s'atténuerait et, avec le temps, disparaîtrait.

En attendant, elle s'était préparée à une deuxième année scolaire difficile – quoiqu'elle avait tout de même remarqué, au printemps, qu'au moins une fillette, Diane Derome, semblait vouloir se rapprocher d'elle –, sans espoir de voir ses deux sœurs venir la rejoindre parce que sa mère avait vite cessé de parler de ce projet.

Elle ne s'est pas retournée une seule fois pour vérifier si la détestable Marie-Berthe et sa gigan- tesque mère la suivaient, ou si elles avaient plutôt tourné à l'angle de Saint-Hubert et Sainte-Catherine pour se diriger soit vers De Montigny, au nord, soit vers Dorchester, au sud. Ni pour voir la mine qu'elles faisaient, bouche bée, yeux ronds, après sa dernière réplique cinglante.

Elle sait bien qu'elle aura à payer ses paroles déplaisantes si jamais elle retourne à l'Académie Garneau, que Marie-Berthe s'empressera d'aller raconter leur rencontre à qui voudra l'entendre et qu'on la tiendra sans doute encore plus à l'écart. «Tu voulais pus nous voir? Ben, reste tu-seule!» Mais l'occasion était trop belle, elle n'avait pas le droit de la laisser passer. Et c'est vrai qu'elle souhaiterait ne plus avoir affaire à Marie-Berthe Beauregard et à ses semblables. Une solitude assumée – quoique imposée – serait peut-être en fin de compte préférable aux sarcasmes et aux méchancetés de l'année précédente. Une paix qui coûterait cher, soit, mais qui la protégerait de bien des soucis.

Elle passe devant l'église Saint-Jacques, sise juste en face d'un de ces fameux cafés chantants comme celui où travaille sa mère, un peu plus loin. Elle traverse ensuite le carrefour Saint-Denis, encore plus encombré que celui d'Amherst. Elle se dit en regardant le pandémonium qui y règne que jamais de sa vie elle ne conduira d'automobile si les femmes s'y mettent un jour : aller à des vingt milles à l'heure, éviter les piétons, contourner les chevaux, se concentrer sur le volant, les manettes, les pédales... Trop compliqué. On ne doit pas avoir le temps de voir ce qui se passe autour. Les vitrines de magasins, les promeneurs, le temps qu'il fait, la vraie vie. C'est pour ça qu'on vient sur la rue Sainte-Catherine, pas pour courir comme des fous en ne voyant rien de ce qui se passe dans l'odeur de gaz d'échappement et de crotte de cheval ! Vive la marche ! Ou les transports publics. Même s'ils lui font encore un peu peur.

Un tramway passe devant elle au milieu de ses klang-klang-klang avertisseurs. Elle pourrait sauter dedans au prochain arrêt, ça irait plus vite, elle saurait à quoi s'en tenir plus tôt. Au sujet du reste de sa vie. Non. Elle aime bien aller à l'aventure, quitte à faire de mauvaises rencontres – ni celle avec monsieur Simoneau, ni celle avec Marie-Berthe Beauregard n'ont été agréables –, mais un projet comme le sien, pense-t-elle en se pressant vers la rue Saint-Laurent, demande autre chose qu'un simple déplacement pour aller acheter des billets de train. Quand on va faire un geste de cette importance, qui va transformer votre vie et celle de ceux qui vous entourent, ça demande un minimum de préparation, de réflexion, non ?

Justement, elle n'a pas beaucoup pensé – et pas réfléchi du tout – à ce qu'elle s'en va faire à la gare Windsor depuis qu'elle a quitté la maison ; elle a même plutôt évité d'y penser et a laissé dériver son esprit chaque fois que l'idée la frappait. Pour ne pas avoir à faire face à son absurdité, à l'absolue impossibilité de mener à bien un tel projet ? Oui. Sans doute. (Pour faire diversion, encore une fois, elle regarde les maisons de six, sept étages, auxquelles elle s'est habituée si vite après les premières semaines d'ébahissement. Puis elle s'oblige à revenir à son projet.) Au fond, elle ne veut pas penser à tout ça, réfléchir, creuser, analyser. Elle veut se contenter de rêver qu'elle peut le faire pendant quelques heures, pour l'excitation, pour la beauté de la chose, aussi. C'est beau, lui semble-t-il, de vouloir sauver sa famille de la guerre! Elle pourra se dire qu'elle a essayé, qu'elle l'a voulu, qu'elle a tout fait pour que ça se réalise. Ce beau rêve. Elle sait qu'elle se répète, qu'elle a déjà pensé tout ça plusieurs fois depuis son départ de la rue Montcalm, mais elle refuse de réfléchir plus loin. Elle ne s'en va peut-être pas sauver Jérusalem comme dans les romans sur les Croisades qu'elle a essayé de lire, dont la violence la rebutait et qu'elle a laissés aux garçons, mais elle aussi est partie à pied, a un long chemin à parcourir, et sans doute d'autres aventures à vivre avant d'arriver à la gare.

Une marquise de cinéma s'élève au-dessus d'elle. Une gigantesque enseigne, déjà lumineuse à dix heures du matin, annonce : Le Théâtre Français, puis, en plus petits caractères : J. O. Hooley, gérant. Elle lève la tête, étire le cou. En grosses lettres noires sur fond blanc, elle peut lire : *QUO VADIS*, retenu à l'affiche pour un deuxième mois consécutif. Huit rouleaux, 10 000 pieds de pellicule, 2 heures 15 minutes de fascination! 2000 sièges à 5 et 10 cents. Suit l'horaire : 12 h 30, 2 h 30, 4 h 30, 6 h 30, 8 h 30. Rhéauna se gratte la tête. Comment un film qui dure deux heures quinze minutes peut-il commencer toutes les deux heures?

Tout ça lui rappelle quelque chose, aussi, mais elle ne peut pas trouver ce que c'est. Peut-être une conversation qu'elle a entendue... Elle s'approche des photos. Une madame toute déshabillée, l'air affolée, est attachée à un poteau et un énorme taureau la menace de ses cornes. Sur la photo suivante, un homme, tout aussi déshabillé – il ne porte pour tout habillement qu'une jupe courte et des sandales attachées aux genoux qui en montrent presque autant que lorsqu'elle change la couche de son petit frère – se bat contre un tigre enragé. Puis, plus loin, des pauvres en haillons sont jetés dans l'arène en pâture aux lions...

Ça y est, elle a trouvé. Des pauvres chrétiens de Rome qui s'en vont se faire dévorer tout crus! Sa mère et ses deux tantes avaient parlé de ce film pendant toute une soirée lors d'une de leurs fameuses parties de cartes!

* * *

C'était donc pendant une partie de poker qui réunissait une fois de plus Tititte, Teena et Maria. Elles avaient décidé de se retrouver chez Teena qui habitait un assez grand appartement près du parc Fullum, dans le Plateau-Mont-Royal. Ernest s'était excusé encore une fois «parce qu'Alice n'était pas dans son assiette». Les trois sœurs Desrosiers n'étaient pas dupes, elles savaient très bien ce que ça voulait dire et s'étaient contentées de hausser les épaules en lançant des «pauvre Ernest, y mérite pas ça, pourtant»...

C'était le soir de congé de Maria au café chantant, mais elle avait emmené ses deux enfants avec elle : Théo avait attrapé un rhume d'été, les plus dangereux selon Joséphine, leur mère, qui avait terrorisé ses enfants pendant des années en guettant chez eux le moindre petit symptôme de rhume pendant leurs vacances estivales. «Un rhume en hiver, c'est normal, y fait frette, on attrape froid aux pieds, pis c'est plein de microbes. Un rhume en été, c'est parce que le corps va pas ben, que le sang est pourri, pis on peut attraper des numonies sans même s'en apercevoir! C'est hypocrite, les numonies d'été! Ça tue dans le temps de le dire!» Elle les nourrissait de choses grasses et bourratives en pleine canicule pour les garder en santé, des plats d'hiver qu'elle mettait la journée à préparer et

133

des desserts trop riches, en leur disant des choses comme : «Mange un bon steak, là, ça va te refaire le sang!» ou bien : «La bonne grosse crème épaisse, ça étouffe les microbes!» C'était donc devenu une seconde nature chez les enfants Desrosiers, même Ernest, que de se méfier des rhumes d'été par peur d'une éventuelle pneumonie, même s'ils s'étaient depuis longtemps éloignés de leur mère et de ses croyances ridicules. Maria n'allait pas jusqu'à bourrer Rhéauna et Théo de matières grasses tout l'été pour tuer les microbes, comme sa mère l'avait fait, mais elle avait tout de même un peu paniqué quand Théo avait commencé à toussoter en plein mois de juin.

Rhéauna berçait donc son petit frère en lui murmurant une comptine pour qu'il s'endorme, lorsque la conversation autour de la table avait glissé sur un film que les trois sœurs Desrosiers venaient de voir, au Théâtre Français, et qui les avait bien impressionnées.

Teena, la plus romantique des trois, celle qui pleurait le plus facilement devant les malheurs de Zazu Pitts ou de Lilian Gish, en parlait comme du plus beau film qu'elle avait jamais vu.

«J'ai tellement pleuré pendant c'te vue-là que je voyais quasiment pus rien pendant la dernière demi-heure!»

Les deux autres avaient ri en ramassant les levées qu'elle venait de leur distribuer.

Titite avait toussé dans son poing.

«J'comprends! T'as mouillé nos trois mouchoirs, pis quand la fille a failli se faire encorner par le beu, j'avais pus rien pour crier dedans!»

Maria avait jeté son jeu sur la table en maudissant sa malchance.

«J'passe. Comme d'habitude. Eh que chus badluckée, moi, aux cartes!»

Elle avait allumé une cigarette devant l'air scandalisé de ses sœurs qui considéraient encore comme vulgaire toute femme qui osait fumer, même dans l'intimité. Mais, après tout, Maria travaillait dans un café chantant, au milieu des soûlons et des guidounes, il ne fallait pas se surprendre qu'elle attrape quelques-unes de leurs mauvaises habitudes. Maria avait à demi fermé les yeux en lançant sa première bouffée de fumée bleue.

«En tout cas, moi, le gars qui jouait Quo Vadis, là, j'y aurais pas fait mal, laissez-moi vous le dire!»

Tititte avait froncé les sourcils.

«Comment ça, le gars qui jouait Quo Vadis! Personne s'appelait Quo Vadis dans ce film-là!»

Maria avait pris une gorgée de bière en regardant sa sœur.

«On n'a pas vu la même vue, certain! Le gars, là, le beau blond tout en *bubbles*, là, c'tait pas un monsieur Vadis qui s'appelait Quo de son petit nom?»

À partir de là, la conversation était devenue à ce point échevelée que Rhéauna ne se rappelait plus qui avait dit quoi, juste que la discussion avait été animée et que, comme d'habitude, rien n'avait été réglé parce que les trois sœurs Desrosiers avaient débattu chacune de leur côté sans écouter les arguments des autres.

«J'me rappelle pus de son nom, mais tout ce que je sais c'est que c'était plus compliqué que Quo Vadis. Plus long, en tout cas…

— De toute façon, y avaient toutes des noms à coucher dehors dans c'te vue-là…

— Ben oui, c'tait aussi des noms qui se lisaient comme des parties de la messe! C'est juste si y en avait pas un qui s'appelait Ite Missa Est!

— Tant qu'à ça, t'as ben raison… C'tait quoi son nom, à elle, Proscula quequ'chose…

— C'tait des noms en latin, les filles, pis c'tait joué par des acteurs italiens!

— Ouan, pis y étaient aussi bons que les acteurs américains…

— Pis ben plus beaux.

— Pas plus beaux que mon beau Henry Walthall. Jamais dans cent ans…

— Toi pis ton Henry Walthall…

— Avez-vous déjà vu un homme plus beau que Henry Walthall? Non? Ben, farmez-vous!

— On le connaît même pas!

— Tu parles toujours de lui, nous autres on sait même pas qui c'est!

— C'est une grosse vedette!

— Peut-être aux États-Unis, mais pas ici!

— Ici, vous êtes toutes une gang d'ignorants!

— On est des ignorants parce qu'on connaît pas Henry Walthall? Fais-moi pas rire!

— Vous l'avez pas vu dans *The God Within* avec Blanche Sweet, y a une couple d'années? Y était tellement beau que chus retournée trois fois dans la même semaine!

— Mon Dieu, t'avais pas grand-chose à faire, à Providence!

— Les filles, changeons de sujet, on va se chicaner… Parlons des décors… Moi, j'en suis pas encore revenue! Y disent dans les journaux que c'est les plus grands décors jamais construits pour une vue animée… Qu'y ont reconstruit la ville de Rome au grand complet!

— Exagère pas!

— J'te le dis!

— Voyons donc! Rome au grand complet! Ça rentre pas dans un studio!

— C'tait pas dans un studio, c'tait dehors! On voyait ben que c'était le vrai ciel, pis toute, que c'tait pas une peinture, que les arbres étaient des vrais arbres…

— Pour en revenir à Quo Vadis, même si c'était pas son nom, j'vous dis qu'y portait ben la jupette…

— Moi, ça m'a un peu choquée, au commencement…

— Ben oui, mais c'est de même qu'y s'habillaient, dans ce temps-là, y portaient toutes des jupettes…

— Notre Seigneur portait pas de jupette!

— Notre Seigneur était pas un Romain!

— Les Romains portaient la jupette, pis les Juifs la robe longue?

— Ça a ben l'air. Les premiers chrétiens aussi, y portaient la robe longue... Comment ça s'appelait, donc... Une tunique! C'est comme ça que ça s'appelle, une tunique! Dans la vue, tous les premiers chrétiens portaient des tuniques comme Notre Seigneur Jésus-Christ!

— Excepté le centurion...

— Quel centurion?

— T'sais ben, celui qui s'est converti? Le Romain? Jamais je croirai que tu pensais que centurion, c'tait son nom...

— C'est comme ça que tout le monde l'appelait...

— Ben oui, comme toi on t'appelle *waitress* oùsque tu travailles... Ça veut pas dire que tu t'appelles Waitress Desrosiers!

— C't'un métier, ça, centurion?

— Ben oui, c'est un soldat. Pis y était pas pour se mettre à porter la tunique juste parce qu'y s'était converti!

— En tout cas, j'veux ben croire que les Romains s'habillaient de même pour vrai, mais c'était pas une raison pour toute nous montrer...

— On voyait pas toute...

— T'as pas ben regardé...

— C'est là que tu te trompes... Si y a quelqu'un qui a regardé, c'est ben moi...

— On sait ben, toi, tu dois être habituée d'en voir, des hommes en jupette, oùsque tu travailles...

— Y a pas d'hommes en jupette oùsque je travaille! Pis que c'est que t'as contre oùsque je travaille, donc, toi, tout d'un coup?

— Les filles, les filles, c'est pas de ça qu'on parle, là...

— Non, c'est vrai, on parle de mon beau Quo Vadis!

— Y s'appelait pas Quo Vadis!

— Si je veux l'appeler de même, moi, c'est de mes affaires!

— En tout cas, moi, quand j'ai vu le taureau foncer sur la fille, j'pense que j'ai reculé de trois rangées de fauteuils!

— Ouan, pis déchiré mon mouchoir!

— Je l'ai pas déchiré!

— Non? Tu sauras que j'ai été obligée de le mettre dans la poubelle quand chus t'arrivée chez nous...

— Moi, c'est l'incendie de Rome qui m'a eue! Même si y avait pas de couleur, j'voyais le feu rouge! C'tait impressionnant sur un temps rare!

— J'comprends, brûler toutes ces beaux décors là! Rome au grand complet! Vois-tu ça, toi, mettre le feu dans Montréal pour une vue?

— C'tait pas la vraie ville de Rome, tu viens de le dire toi-même, c'tait juste un décor.

— J'veux ben croire, mais c'tait tellement réaliste qu'on pensait que c'tait vrai.

— C'est pour ça que les vues sont faites. Pour qu'on pense que c'est vrai...

— En tout cas, moi, y m'ont eue.

— Moi aussi, mais surtout avec les jupettes.

— N'empêche que c'tait tout un fou, c'te Néron-là, hein?

— Aïe, mettre le feu dans Rome en jouant de la harpe!

— C'tait pas de la harpe, c'tait de la lyre.

— Aïe, toi, c'est pas parce que t'as faite un voyage en Angleterre que tu vas nous donner un cours d'instruments de musique à soir!

— Mais c'est ça qui était marqué sur les cartons, entre les scènes, t'avais juste à lire!

— De toute façon, une harpe, une lyre, c'est quoi la différence... On l'entendait même pas!

— Ah, parce que si tu l'avais entendue, t'aurais vu la différence! T'es smatte, toé...

— Les filles, on joue pus aux cartes, là!»

Un petit répit de quelques secondes avait suivi, puis la discussion avait repris de plus belle. Mais Rhéauna n'écoutait plus. Elle avait fermé les yeux et était allée rejoindre son petit frère dans le sommeil. Elle avait tout de même rêvé à des hommes en jupette et à Rome qui brûlait.

* * *

Rhéauna sourit en regardant les photos.

Tiens, ce doit être lui, Néron, le gros monsieur à l'air méchant avec une lyre dans les mains…

De la fumée, derrière lui. Rome qui brûle. Ça doit sentir fort, une ville qui brûle! Ça doit sentir la viande grillée! Ouache! Elle passe à la photo suivante. Un très bel homme tout musclé tient une épée d'une main et un filet de pêche de l'autre. Les Romains se battaient avec des filets de pêche! Quelle drôle d'idée! Mais l'acteur est bien beau et elle se demande si c'est celui dont avait parlé sa mère pendant la dernière partie de poker. Qui avait eu raison? Est-ce qu'il s'appelait Quo Vadis ou non? Vadis, ça peut toujours aller, mais Quo comme prénom, franchement, la mère de cet homme-là n'avait pas beaucoup d'imagination!

Elle aimerait bien avoir la permission de voir ce film. Elle l'a plusieurs fois demandé à sa mère qui lui a répondu que c'était un film pour adultes seulement et que, de toute façon, elle était trop jeune pour se rincer l'œil devant des hommes écourtichés. Se rincer l'œil? C'était une nouvelle expression qu'elle avait trouvée très jolie. Se rincer l'œil… Quelle belle image! Ou alors elle pourrait venir en cachette, un après-midi, sacrifier cinq cents sur ses sept dollars et onze sous, acheter un cornet au Ice Cream Parlor voisin, une limonade, aussi, et assister au massacre des premiers chrétiens et à l'incendie de Rome. Pendant deux heures et quart. Devant des Romains écourtichés comme Quo Vadis et des Juifs en robe longue…

Ça ne sert à rien de rêver, son argent doit servir à autre chose que d'aller voir des vues animées. Elle lance un soupir, s'éloigne du cinéma.

À son grand étonnement, tout semble bien se passer à l'angle des rues Saint-Laurent et Sainte-Catherine. C'est pourtant l'un des carrefours les plus achalandés de Montréal. Il y a beaucoup de monde, oui, plein de voitures de toutes sortes et les tramways y font un bruit d'enfer comme partout ailleurs, mais tout ça se déroule de façon presque harmonieuse. Peut-être à cause du policier de la circulation, posté là toute la journée, qui joue du sifflet et des bras avec un zèle exemplaire et qui fustige du regard tous les contrevenants. C'est un homme respecté que tout le monde regarde avant de traverser l'intersection : les piétons autant que les conducteurs d'automobiles, de calèches ou de tramways. On attend son signal avant de bouger. Et il semble apprécier sa situation de pouvoir parce qu'il a la poitrine gonflée sous son uniforme trop chaud pour la saison et le menton levé.

Au moment où Rhéauna allait traverser la rue Sainte-Catherine pour se diriger vers le sud, il lève un bras, lance un coup de sifflet péremptoire, retire son instrument de sa bouche et se met à hurler des injures à faire frémir dans une espèce de mélange de français et d'anglais qui serait en tout autre temps incompréhensible mais qui se trouve être tout à fait clair dans les circonstances. Toutes les têtes se tournent vers le conducteur d'une auto qui a osé passer outre le geste de s'arrêter qu'il venait de lui faire en s'engageant dans l'intersection sans sa permission. La circulation est bloquée pendant une bonne minute ; personne ne proteste. Rhéauna écoute les invectives du policier en ressentant du soulagement de ne pas en être la victime et regarde le pauvre conducteur se morfondre en excuses sur son siège, tête baissée et épaules arrondies. Après un sonore «Pis je veux pus te revoir à mon intersection!» en français, suivi d'un comique *«Don't come back, I don't want to see you* à mon intersection *anymore!»*, le policier remet son sifflet dans sa bouche et reprend son rôle. Il gigote, il se contorsionne, et tout continue comme si rien ne s'était passé : une vue animée dont on aurait arrêté le déroulement pendant une minute et qu'on relancerait sans prévenir. On aurait dit que la vie, un moment suspendue, avait attendu ce signal pour reprendre son cours normal.

Depuis le temps que Rhéauna entend parler de l'endroit où travaille sa mère, elle a décidé d'aller voir une fois pour toutes de quoi ça a l'air. C'est un peu plus bas sur la rue Saint-Laurent, semble-t-il, à côté du St. Lawrence Market, un des plus beaux marchés de la ville, où on trouve des aliments tellement exotiques qu'on ne peut pas imaginer que ça puisse se manger, et situé juste en face du Monument-National, un immense théâtre que sa mère prétend être le plus magnifique de toute la province de Québec. Elle n'est pourtant pas sortie de Montréal depuis son arrivée, deux ans plus tôt...

Les vitrines des magasins sont couvertes de réclames écrites dans une langue que Rhéauna ne connaît pas. Ça ressemble un peu aux traces que les pattes des poules laissaient dans la neige, l'hiver, en Saskatchewan. Maria lui a beaucoup parlé des Juifs qui habitent autour du café chantant où elle travaille, mais elle n'a jamais rien dit de leur écriture. Curieuse, Rhéauna s'approche d'une vitrine. C'est différent des signes qu'elle peut voir dans la buanderie chinoise et tout aussi compliqué. C'est drôle de penser qu'il y a des gens qui comprennent ce qui est écrit là alors que pour elle c'est un insondable mystère. Elle n'entend rien non plus à l'italien, à l'espagnol, et peu à l'anglais, mais, au moins, ce sont les mêmes lettres... Et eux, ceux qui écrivent comme ça, est-ce qu'ils comprennent son écriture à elle ? Elle regarde de plus près. On dirait des dessins. Est-ce que les Juifs écrivent en dessins ? Ça serait magnifique ! Toute une écriture faite de dessins !

Dans la vitrine sont superposées toutes sortes de marchandises, des rouleaux de tissu, des tapis, des bibelots, des chandeliers, des sets de vaisselle ciselés extravagants et dont on dirait qu'ils sont faits en or massif… Comme dans la caverne d'Ali Baba.

Une vieille femme sort de la boutique, la regarde, lui sourit et lui dit quelque chose qui semble gentil mais qu'elle ne comprend pas, bien sûr.

Elle rougit jusqu'à la racine des cheveux et s'en veut de ne pas comprendre. C'est ridicule, elle le sait bien, mais elle ne peut pas s'en empêcher et finit par murmurer un tout petit «J'comprends pas c'que vous dites, mais merci pareil!» avant de tourner le dos à la vieille dame et de s'enfuir.

Niaiseuse! Peut-être qu'elle comprend le français, elle, ou l'anglais. Peut-être qu'elle aurait pu lui parler!

Autour du marché Saint-Laurent, la foule se fait dense et bruyante. Des hommes annoncent à la cantonade, et dans plusieurs langues en même temps, des produits de toutes sortes venus de partout. Les étals de bois croulent sous le poids de légumes et de fruits pour la plupart inconnus de Rhéauna qui ouvre de grands yeux devant tant de denrées exotiques. Des trucs jaunes, plus dodus que des bananes mais qui n'en sont pas, trônent à côté de concombres d'une grosseur presque monstrueuse; des tomates d'un beau rose pâle, une des seules choses qui lui soient familières, côtoient des légumes ronds, énormes, qui ont la forme d'une citrouille verte. Est-ce que ça se mange, de la citrouille verte? Rhéauna s'approche. Il semble que les vertes soient des *squashes*, celles qui sont en long et jaunes, des *summer squashes*. C'est écrit en français, en anglais et dans cette écriture bizarre dont elle vient d'étudier un échantillon sur la vitrine de la caverne d'Ali Baba. Plus loin, elle trouve une pyramide d'un légume qui s'appelle aubergine et dont la couleur chaude la ravit. Elle connaît les mots courgette et aubergine, elles les a lus dans des livres qui se passaient loin, en Europe ou en Afrique, elle sait que ça se mange, c'est la première fois qu'elle en voit, cependant, et elle parcourt les allées jonchées de feuilles de chou et de vieilles pommes de salade en regardant partout et en humant tout ce qu'elle peut des odeurs inconnues qui l'entourent. Elle s'y noie en fermant les yeux quand ça sent trop bon.

Mais d'où ça vient, tout ça? Où est-ce que ça pousse? Est-ce que tous ces gens qui lui tendent leurs produits en souriant cultivent eux-mêmes ces denrées qu'elle ne connaît pas parce que sa mère n'est pas assez curieuse et se contente des légumes de base de la cuisine de son pays, patates, navets, carottes, chou, céleri? Qu'est-ce que ça goûte, une aubergine? Et avec quoi ça se mange? Elle aimerait poser des questions, demander s'il existe des livres de recettes – il en existe sûrement, niaiseuse, mais dans quelle langue? –, sortir un peu d'argent de sa poche et acheter ça, là, ou cet étrange fruit, là-bas, qui s'appelle un *grapefruit*! Ou, plutôt, est-ce que tous ces produits viennent par train des pays du Sud, les pays de soleil, là où abondent les oranges, les citrons, les ananas, avant d'être offerts ici, au marché Saint-Laurent, à ceux qui les connaissent et qui s'en ennuient parce que ça ne pousse pas au Canada? Ah, en voilà un qu'elle reconnaît, juste là, un ananas! Elle le prend dans ses mains – c'est plein de piquants, comme si ça ne voulait pas qu'on le touche, et c'est plus pesant qu'elle ne l'aurait cru –, l'approche de son nez et ferme les yeux. Elle connaît les ananas en boîte, son petit frère et elle en sont fous et leur mère leur en donne, de temps en temps, quand ils ont été sages, mais l'odeur du fruit lui-même est plus subtile, moins accentuée. L'eau lui monte à la bouche et elle se rend compte qu'elle a faim. Comment on fait pour manger ça? On ne peut tout de même pas mordre dedans, ce n'est pas une pomme ni une poire! Il faut le peler, arracher le cœur ou le noyau s'il y en a un, le découper en tranches rondes comme celles qu'on trouve dans les boîtes de conserve? C'est trop gros, ça n'entrerait jamais dans une boîte de conserve! Est-ce que ça veut dire que ceux qu'on mange en boîtes sont des bébés ananas? Est-ce que c'est compliqué à faire pousser? Est-ce que ça a des pépins comme les pommes ou les oranges?

Lorsqu'elle rouvre les yeux, un gros monsieur jovial, les mains sur les hanches, la regarde en souriant. Il lui dit quelques mots, peut-être dans cette langue qui s'écrit en dessins, et elle lui répond qu'elle ne parle que le français. Il hausse les épaules – lui non plus ne la comprend pas! –, se penche derrière son étal et sort une assiette remplie de grosses tranches d'ananas frais. Il en prend une avec ses doigts boudinés et la tend à Rhéauna qui ne sait pas si elle devrait l'accepter. Elle entend sa mère lui répéter une fois de plus de ne pas parler aux étrangers, de ne rien accepter d'eux, de se sauver à toute vitesse s'ils sont trop gentils. Elle pense aussi à monsieur Simoneau qui la prenait pour une voleuse ou qui faisait semblant. Ce monsieur-là est-il un Grand Méchant Loup plus hypocrite que l'autre, et séduit-il ses victimes avec des tranches d'ananas frais? Et comment résister à une tranche d'ananas? Elle regarde autour d'elle. Il ne peut rien lui arriver au milieu de la foule, en plein marché, aussi exotique et étrange soit-il!

Elle tend la main en s'en voulant déjà de sa faiblesse de caractère.

Ça explose aussitôt dans sa bouche, c'est à la fois sucré et suret, la surface de sa langue brûle et se contracte, ça pique et ça chatouille en même temps, ça chauffe, ça râpe, et pourtant c'est délicieux! Et ça monte jusque dans son nez! C'est moins sucré que ce qu'on trouve dans les boîtes de conserve et pourtant c'est meilleur! Elle fait une grimace ravie pendant que des larmes lui montent aux yeux.

Le gros monsieur a l'air de lui demander si elle trouve ça bon.

Elle avale sa première bouchée, sourit.

«C'est plus que bon! C'est délicieux! C'est fantastique! C'est merveilleux!»

Elle sort les adjectifs les plus longs qu'elle connaît et qu'elle ne peut qu'à de très rares occasions utiliser dans la conversation de tous les jours. Et elle les savoure presque autant que la bouchée de fruit qu'elle vient d'avaler.

Le monsieur lui fait signe qu'il saisit le sens de ce qu'elle lui dit même s'il ne comprend pas les mots, et Rhéauna mord une seconde fois dans la tranche d'ananas.

La deuxième bouchée est très différente de la première, plus douce, moins envahissante, et elle la mâche très longtemps pour extraire tout le jus de la pulpe et faire durer son plaisir. C'est filandreux, ça s'accroche entre les dents, mais ça goûte bon jusqu'au bout! Et de plus en plus sucré.

Au moment où elle va avaler, un souvenir très lointain lui revient. Elle en a déjà mangé. Une tranche d'ananas. Une fois. À Maria. Elle s'en souvient maintenant. Grand-maman Joséphine était revenue un jour du magasin général de monsieur Connells avec cette chose pleine de piquants, une rareté en Saskatchewan, et l'avait servie avec de la crème glacée en disant à son mari et à ses trois petites-filles d'en profiter, de bien y goûter, parce qu'ils risquaient de ne plus jamais en retrouver dans leur petit patelin. Rhéauna n'avait pas su l'apprécier, alors, elle avait trouvé ça trop acidulé, et sa grand-mère avait paru déçue.

Elle demande pardon à grand-maman Joséphine en finissant sa tranche d'ananas et se jure de penser à elle chaque fois qu'elle en mangera.

«À ta santé, grand-maman. T'en mangeras peut-être pus jamais, toi.»

Elle pense pendant une fraction de seconde qu'elle non plus n'en mangera plus si elle retourne en Saskatchewan.

Elle se lèche la main. Le gros monsieur rit, lui tend un torchon humide avec lequel elle s'essuie.

Elle se demande si sa main va rester collante pour le reste de la journée. Elle remercie le vendeur qui semble avoir deviné qu'il vient de lui faire découvrir une chose inattendue et s'en montre ravi.

Elle le remercie même si elle sait qu'il ne saisit pas un mot de ce qu'elle lui dit, le salue de la main et continue sa promenade à travers les allées odorantes du marché Saint-Laurent.

Une vendeuse qui parle français avec un drôle d'accent – elle roule les r encore plus que les Montréalais – lui dit qu'elle la trouve belle dans sa robe rouge et lui offre une orange. Rhéauna épluche son fruit et le mange en furetant un peu partout. Deux fruits frais de suite, quelle aubaine! Elle passe les quinze minutes suivantes à l'affût de fruits et de légumes qu'elle ne connaît pas, s'extasie devant la beauté de leurs noms autant que de leurs formes et de leurs couleurs si diversifiées. Quand elle a fait tout le tour du marché, étourdie par tout ce qu'elle a vu et entendu, et se retrouve sur le trottoir de la rue Saint-Laurent, en face du Monument-National, elle se rend compte qu'elle avait oublié le but de son incursion dans cette rue – et même son intention de se rendre jusqu'à la gare Windsor –, tant ce qu'elle a vu l'a passionnée, et se dirige à la hâte vers sa gauche dans l'espoir d'apercevoir le café chantant où travaille sa mère. Ça s'appelle Paradise, ça ne doit pas être difficile à trouver.

C'est une bâtisse quelque peu délabrée en brique rouge et pierre grise presque au coin de la rue Dorchester. Le soir, avec le néon allumé, les gens qui circulent, la musique qui jaillit quand quelqu'un ouvre la porte, c'est peut-être moins déprimant. En plein jour, par contre, on dirait une maison abandonnée depuis longtemps. Peut-être parce que les fenêtres aux vitres pas très propres couvertes de lourdes tentures sans couleur précise suggèrent la négligence et le laisser-aller. Et que la porte de chêne massif aux renforts de métal ressemble à celle d'une prison de roman. On dirait que c'est fermé pour toujours et que la petite affiche qui annonce *Rita Rouleau, chanteuse à voix* date d'un autre âge, oubliée là dans la hâte de quitter les lieux.

Rhéauna essaie d'imaginer sa mère franchissant la porte de cet endroit, y passer des heures, chaque soir, à servir des boissons fortes à des couples bruyants qui n'écoutent pas toujours les artistes qui se produisent sur la scène – c'est Maria qui le lui a dit –, déambulant à travers les tables dans sa robe rayée blanc et noir, l'uniforme des serveuses du Paradise, en ressortant, longtemps après minuit, empruntant à toute vitesse la rue Dorchester pour rentrer chez elle. Elle n'y arrive pas. Cette femme-là est une autre personne que sa mère. Et elle n'a que quelques minutes, entre la rue Saint-Laurent et la rue Montcalm, pour redevenir la Maria Desrosiers que Rhéauna a réappris à aimer depuis un an. Elle connaît bien la version de jour de sa mère, mais ignore tout de sa version de nuit.

Elle se dit qu'elle n'aurait pas dû se rendre jusque-là, qu'elle aurait dû rester dans l'ignorance, ne pas venir se planter devant cet édifice à une heure où il semble si déprimant, retourner sur la rue Sainte-Catherine aussitôt sortie du marché Saint-Laurent et courir vers l'ouest, vers la gare Windsor, vers son rêve de liberté. Ce qu'elle a devant elle, c'est la réalité toute nue et pas très belle. Alors que ce qu'elle a dans la tête est un beau rêve qui l'aide à vivre. Sa mère en a-t-elle, elle, un rêve qui l'aide à vivre? Quand elle se lève, le matin, épuisée, surtout quand Rhéauna part pour l'école et que Maria doit s'occuper de Théo, à quoi pense-t-elle? À quoi rêve-t-elle? Elle ne s'y est jamais attardée. C'est la première fois qu'elle réfléchit à sa mère de cette façon et elle reste là, plantée devant le Paradise, une nouvelle image de Maria gravée dans le cœur. Une idée la frappe de plein fouet: si sa mère ne parle plus de faire venir Alice et Béa de Saskatchewan, c'est parce que la vie serait impossible, pas parce qu'elle se désintéresse de ses enfants. Cette révélation secoue Rhéauna de part en part, au point qu'elle doit s'appuyer contre le mur du Paradise. Un étourdissement la prend alors que lui vient la pensée que ce n'est pas de la guerre qu'elle doit sauver sa mère et Théo, c'est de la vie sans espoir, ici, à Montréal... Et si elle ne prend pas la responsabilité de réunir sa famille, la chose ne se fera jamais.

Octobre 1912

«Mon histoire est pas ben ben originale. C'est une histoire qui existe depuis que le monde est monde. Depuis que les hommes font des accroires aux femmes, que les femmes s'arrangent pour les croire. Mais c'est pas parce que c'est pas original que c'est pas triste.»

Teena regarde tour à tour les trois personnes qui l'écoutent. Tititte, sa sœur aînée qui a entendu l'histoire un nombre incalculable de fois, a pris un air absent. Elle a détourné la tête en direction de la fenêtre du salon et contemple, le regard vide, la rue déserte, sans circulation, sans promeneurs non plus, où rien ne va se passer. Ernest, lui, a baissé les yeux sur ses genoux où il tient ses deux mains bien parallèles; on dirait qu'il examine ses ongles. De toute évidence, il n'a pas du tout envie, lui non plus, d'écouter ce récit trop familier qui semble encore le choquer. Quant à Alice, elle est depuis un bon moment partie se coucher, prétextant un mal de tête auquel tout le monde a cru, parce qu'avec tout ce qu'elle a bu... (De toute façon, elle n'a jamais compris ce qui se disait et ce qui se passait dans cette famille de fous dont elle a épousé le seul élément un tant soit peu raisonnable et manipulable, mais qui se laisse trop souvent embarquer dans les affaires pas toujours claires de ses sœurs. Elle est convaincue que cette dernière arrivée, Maria, disparue en Nouvelle-Angleterre depuis douze ans, sera un autre exemple de vie gâchée sans rémission, peut-être le pire de tous, qu'elle apporte avec elle son lot de malheurs difficiles à gérer – une veuve enceinte, peut-être pas veuve du tout, sans argent, sans emploi – et se compte chanceuse d'avoir le bon vieux gin Bols comme allié. Le seul. Mais très fiable. La consolation devant la solitude d'une Anglaise perdue dans un groupe de Desrosiers qui refuse de vivre autrement qu'en français au milieu d'une ville où l'argent appartient aux Anglais.)

Seule Maria retourne son regard à sa sœur. Elle veut savoir en détail tout ce que Teena a vécu. Sa révélation lui a fourni l'espoir dont elle avait besoin : si Teena a eu un enfant, ici à Montréal, sans être mariée, elle arrivera sans doute elle-même à imposer son état de veuve et ne sera peut-être pas rejetée par le reste de cette société catholique encore plus intolérante, a-t-elle entendu dire, que celle de Providence.

Teena continue à voix basse... Elle parle désormais pour elles seules : Tititte et Ernest sont perdus dans leurs pensées et n'écoutent plus.

«J'ai été étourdie comme toutes les femmes par des belles promesses pis un beau physique. Trop beau pour moi, j'arais dû m'en apercevoir. Trop fin, aussi. Trop doux. Mais l'amour ça se commande pas, hein, pis chus tombée dedans la tête la première. Y était aussi grand que chus petite, y était fort comme un ours, pis en même temps tendre comme un agneau, pis si ses promesses étaient pas originales elles non plus, y étaient assez précises pis assez tentantes pour que je m'accroche dedans pis que... pis que je succombe. C'est un drôle de mot, succomber. C'est un mot qui fait honte après, qu'on trouve laid après, mais qui est tellement différent pendant que ça se passe! Succomber quand t'es pas mariée, ça fait peur avant, t'as honte après, mais si t'es en amour, c'est tellement magnifique pendant! Surtout quand t'as coiffé sainte Catherine depuis un bout de temps, que t'es considérée comme une vieille fille sans avenir parce que t'approches de la trentaine, pis que tu pensais pus que ça pouvait t'arriver! Tu crois que tout est vrai. Que c'est arrivé. L'amour. Succomber avant le temps quand t'es en amour, c'est pas grave parce que t'es sûre que tout va toujours être comme ça, que ça va se répéter à l'infini, le beau physique va rester beau, les promesses vont rester les mêmes, la fameuse demande va finir par arriver, l'avenir est plein de belles choses qui vont te faire oublier tout ce que t'as vécu de désagréable jusque-là. Pis...»

Elle porte la main à son cœur, prend une longue respiration, s'évente le visage avec l'autre parce qu'elle a rougi sans pouvoir se contrôler.

«Je sais pas... tu finis par te rendre compte que les choses ont un peu changé, tu vois de plus en plus de différences entre avant que tu succombes pis après... Lui, y a eu ce qu'y voulait, y cherche déjà un moyen de s'en sortir, de se débarrasser de toi, c'est un homme, sont toutes pareils, mais ça tu le sais pas encore... Tu comprends, t'es t'encore dans tes rêves de mariage, de famille, de bonheur... C'est bête pour brailler, t'aurais jamais pu croire que toi tu vivrais ça parce que tu te considères comme une femme intelligente, parce que ta mère t'a prévenue, parce que ton père a toujours surveillé avec qui tu sortais quand t'étais plus jeune... Mais y sont loin, y sont pus là pour te protéger, t'as voulu te sauver d'eux autres, t'es tu-seule, pis tu penses que t'as trouvé le *jackpot*! Que tu vas pouvoir faire la grimace à tes parents si tu les revois, leur dire r'gardez, vous aviez peur pour rien, chus t'heureuse pis mon bonheur je l'ai trouvé tu-seule, je l'ai choisi tu-seule! Mais un bon jour tu te rends compte que t'es malade tous les matins depuis un bout de temps, que ton beau physique te regarde d'une drôle de façon quand y te trouve accroupie dans la salle de bains, pis une idée épouvantable commence à te trotter dans la tête. Tu finis par te rendre à l'évidence, tu vas voir un docteur qui te confirme la «mauvaise» nouvelle. Pis quand tu

151

reviens chez vous, le beau physique est pus là. Tout ce qui reste de lui, c'est un vieux blaireau qu'y voulait jeter pis le fond d'une boîte de savon à barbe. Tu le savais. Tout ce temps-là, tu le savais, mais tu voulais pas le voir. Tu brailles en respirant l'odeur du savon à barbe, tu veux garder au moins ça de lui, sa senteur de monsieur propre, en plus de... T'essayes pas de le revoir, non plus, parce que t'es trop orgueilleuse. Tu pourrais l'obliger à te marier, exiger qu'y fasse face à ses obligations, mais tu te rends compte qu'y t'écœure, que tu veux pus jamais le revoir, que t'aimes mieux être bannie de ta société plutôt que t'obliger à endurer sa face pour le reste de tes jours. Pour les mauvaises raisons, en plus. Y en a jamais voulu de mariage, lui. Pis toi t'en veux pus. Ah non, t'en veux pus! Pis là, au moment où tu penses que t'es t'arrivée au fond, que tu peux pas descendre plus bas dans la dépression, quelqu'un te suggère d'aller voir les sœurs à l'hôpital de la Miséricorde, qu'y vont savoir quoi faire, eux autres, qu'y vont t'aider, qu'y vont te protéger... Mais tout ce qu'y veulent... tout ce qu'y veulent, les maudites sœurs de la Miséricorde – en tout cas, c'est comme ça que je l'ai pris –, c'est te séparer de ton enfant, te l'enlever pour le donner à quelqu'un d'autre, à une famille «responsable» qui va y fournir un toit, de quoi manger, de l'amour, comme si toé t'étais pas capable d'aimer ton propre enfant! Sont bêtes avec toé parce que t'as péché, c'est toujours de ta faute, jamais celle du père, y te traitent comme la darnière des guidounes, y disent qu'y vont t'accueillir à leur hôpital par charité, mais tu te doutes du prix que tu vas avoir à payer, l'humiliation, la séparation, la solitude quand tout va être fini pis que tu vas te retrouver sur le trottoir en pâture au premier beau physique que tu vas croiser... C'est pas nous autres qu'y devraient punir comme ça... c'est eux autres! C'est eux autres, Maria, avec leurs belles paroles pis leurs maudites promesses qu'y ont jamais l'intention de tenir! Je le sais que j'exagère, je le sais qu'y en a qui sont corrects, mais pourquoi c'est toujours les autres qui les rencontrent? Prends notre sœur Tititte qui est allée jusqu'en Angleterre pour trouver le bonheur pis qui est revenue quasiment en courant parce que son mari était pas c'qu'a' pensait… Prends toi qui oses pas dire à ton monsieur Rambert que t'attends un enfant de lui parce que t'as peur qu'y te sacre là comme y font toutes… C'est pas injuste, ça?»

Teena prend la main de Maria entre les siennes, la serre à lui faire mal.

«J'me sus dit que je mettrais jamais mon enfant au monde dans cet hôpital-là, pis sais-tu ce que j'ai fait? Chus disparue! J'ai quitté Montréal! Comme toé tu viens de le faire avec Providence! Une autre Desrosiers qui se déplace pour changer sa vie! J'ai pris ma valise, pis chus allée m'enterrer dans le fin fond des Laurentides, dans un petit village perdu dans le bois qui s'appelle Duhamel, là oùsque notre cousine Rose, j'sais pas si tu te rappelles d'elle, a marié un Indien qui l'a installée dans une cabane au plancher de terre battue au bord du lac Long. Elle, elle l'a trouvé, le vrai amour, mais tu devrais voir ce que ça y a coûté, par exemple! Tu vois? Tu vois, c'est même pas mieux quand on le trouve pour vrai, le grand amour!»

Elle essuie une larme avec son mouchoir déjà mouillé.

«J'parle beaucoup, hein? Mais ça me fait du bien. Si tu savais…»

Elle prend une longue respiration, ferme les yeux. Elle est rendue au nœud de son récit et doit choisir ses mots.

«Chus partie de Montréal une moins que rien, une femme perdue dont personne aurait jamais voulu s'occuper à part les religieuses vicieuses; pis dans le seul but d'y voler son enfant, pis chus arrivée à Duhamel veuve, comme toi ici, avec un passé que je m'étais inventé dans le train pis une cousine prête à mentir pour me protéger. Après que j'y aye promis un peu d'argent, évidemment... J'ai gardé mon nom, c'était plus facile, j'ai dit que mon mari, un monsieur Desrosiers de Saskatchewan lui aussi, était mort de sa belle mort, pis que je me cherchais une maison pour me retirer un temps... le temps de mon veuvage pis de mettre son enfant au monde. Tout le monde m'a crue! J'ai passé un hiver enterrée sous quinze pieds de neige, j'ai fêté Noël avec tout le monde, le curé m'a même souhaité la bienvenue du haut de la chaire parce que c'est rare que des Montréalais s'installent à Duhamel plus longtemps que pour le temps de la chasse, j'ai fait des tartes aux pommes pis des tourtières – me vois-tu, moi, enceinte jusqu'aux yeux, en train de faire des tourtières? –, j'ai fréquenté la petite chapelle avec tout le monde pour pas me faire remarquer, j'ai croisé des chevreuils en plein centre du village, je leur ai même donné des pommes quand les grands froids sont arrivés... J'me sus fondue dans Duhamel... Pas de questions de la part de personne, jamais, même le docteur du village pis la sage-femme ont été discrets. Y se doutaient peut-être de quequ'chose, mais y disaient rien. Je grossissais à vue d'œil, le bébé s'en venait... Mais qu'est-ce que j'allais devenir quand y serait là? Tout ce que je sais faire, c'est vendre des chaussures. J'ai pas besoin de te dire qu'y a pas de magasin de chaussures à Duhamel... Faut aller jusqu'à Papineauville pour en trouver un, j'pense... Ça fait que j'ai cherché une maison pour vrai. C'est fou, hein? J'avais pas pantoute l'intention de rester à Duhamel, mais je cherchais quand même une maison! Celle que j'ai trouvée, parce que j'en ai trouvé une, appartenait à un frère pis une sœur qui élevaient un enfant, un petit gars. Les mauvaises langues disaient que c'était leur enfant à eux autres, un enfant de l'inceste, mais eux autres prétendaient que c'était leur petit frère, que leur mère était morte en couches, je sais pus trop... Y avaient besoin d'argent parce qu'y s'en allaient en ville. Elle, elle avait pas l'air contente, elle avait l'air de tenir à leur maison, mais lui c'tait une espèce de rêveur qui voulait aller chercher fortune en ville en jouant du violon, imagine, comme si Montréal avait besoin de violoneux... Peut-être qu'y voulaient aller cacher leur péché à Montréal alors que moi je venais cacher le mien à Duhamel... En tout cas... J'ai eu la maison pis toute la terre qui l'entourait pour une bouchée de pain. Même moi, une pauvre vendeuse de souliers, j'ai été capable de les acheter tellement y demandaient pas cher. Sont partis en pleine nuit. On a jamais eu de nouvelles d'eux autres... J'sais pas si y sont heureux à Montréal. Avec leur Gabriel. J'viens de me rappeler du nom de leur petit garçon. Y s'appelait Gabriel. En tout cas... C'est une belle maison, pas grande, juste en haut d'une colline, accotée à une montagne qui m'appartient en partie pis que j'vas peut-être vendre à la compagnie Edwards qui arrête pas de me faire des offres parce qu'y ont besoin du bois pour fabriquer j'sais pas trop quoi... En bas, y a des trains de compagnies forestières qui passent tous les matins... Y a pas d'électricité, y a pas d'eau courante, faut sortir pour aller aux toilettes, c'est perdu dans la nature, mais c'est tellement beau! Peut-être que je trouve ça beau parce que c'est là que j'ai mis mon enfant au monde, ça se peut, mais chaque fois que j'y retourne – y faudrait que je t'emmène, une bonne fois, y faudrait quasiment que t'ailles accoucher là, toi aussi –, chaque fois que j'y retourne, le goût de vivre me reprend. Deux trois jours d'air pur pis de caresses de mon enfant, pis chus prête à tout affronter! Oui, je l'ai laissé là. J'ai pas laissé les sœurs de la Miséricorde le donner à une famille, je l'ai moi-même confié à des habitants que j'ai choisis, qui l'aiment pis qui me laissent le voir quand je veux. C'est ça, la différence. J'peux le voir quand je veux. Pis un bon jour... quand j'aurai les moyens... si je vends une partie de la terre... surtout quand j'aurai le courage, en fait... j'vas le faire venir ici, à Montréal, pis j'vas le montrer à tout le monde. Un enfant de l'amour? Même pas! Un enfant du hasard! Un enfant du péché? Pis! C'est mon enfant à moi! J'ai le droit de le garder pour moi, non? Mais si y reste là, si y devient un fermier comme ceux qui en prennent soin, j'irai peut-être finir mes jours à Duhamel, on sait jamais…»

Elle essuie une larme, se mouche. Tititte regarde toujours par la fenêtre, Ernest n'a pas bougé lui non plus.

«Tu sais ce que c'est que d'être séparée de ses enfants… Je sais pas comment tu fais, moi j'vois le mien plusieurs fois par année, pis je trouve ça difficile… Toi, ça fait des années que t'as pas vu les tiens… Mais, au moins, t'auras pas les mêmes problèmes que moi avec celui-là, ça a l'air que t'es veuve pour vrai… Si ce que tu nous as conté est vrai… Parsonne va t'obliger à donner ton enfant, au contraire, tout le monde va avoir pitié de toi, tout le monde va vouloir t'aider… C'est ben sûr qu'on va t'aider, nous autres aussi. Pas juste Ernest, Tititte pis moi aussi… On va essayer de te trouver un logement qui a du bon sens, une job qui a du bon sens, au moins tant que tu vas pouvoir travailler, t'es notre sœur, on te laissera pas dans la rue! Après… Après, on verra. En attendant, pour à soir, tu peux venir coucher chez nous… Ici, y a pas de place pis Alice est pas toujours facile… J'ai un sofa dans le salon, ça va être mieux que rien.»

Les confidences sont terminées, elle remet son mouchoir dans son sac après s'en être servie une dernière fois, replace ses cheveux du plat de la main, lisse sa jupe, réussit à produire ce qui peut ressembler à un sourire triste.

«C'est toute une surprise que tu nous as faite là, Maria. J'sais pas si on comprend tout à fait ce qui vient de nous arriver, on est comme assommés, tou'es trois… Demain, peut-être, on va se rendre compte de ce que tout ça veut dire, on va pouvoir te montrer plus d'affection. Pour le moment, on est tellement surpris qu'on sait pas si on est contents... Enfin, je suppose qu'on l'est, mais c'est comme si on le savait pas encore... En tout cas, je parle pour moi. Les autres, je le sais pas.»

Tititte s'est tournée vers elles.

«Moi, je le sais que chus contente.»

Elle ne peut rien ajouter de plus, se lève et se penche sur sa sœur qu'elle entoure de ses bras.

«Bienvenue, ma petite sœur. Ça va être dur, mais on va y arriver....»

Ernest a relevé la tête.

«Un problème de plus... Envoyez, emmenez-en, on est capables d'en prendre, des problèmes!»

Ses trois sœurs, qui ne savent pas s'il est sérieux ou s'il plaisante, prennent le parti de rire. C'est un petit rire timide, très court, un rire défaitiste qui contient autant de tristesse que d'amusement. Elles rient sans se regarder, comme si elles avaient honte, pendant qu'Ernest s'allume un de ses maudits cigares Peg Top qui sentent trop fort la vanille.

Une sorte de gêne s'installe alors au salon. Des confidences ont été faites, on a offert de l'aide à quelqu'un qui en a besoin et qu'on n'a pas vu depuis longtemps, mais tout le monde est trop fatigué, ou troublé, pour essayer de raviver une conversation qui s'essouffle, et un silence pesant tombe sur la pièce.

Il faudrait se lever, appeler un taxi, remettre les chapeaux qu'on a posés sur le lit de la chambre à coucher, enfiler les gants, embrasser Ernest en lui disant au revoir. Personne ne bouge, cependant. Quand quelqu'un parle, c'est pour dire une platitude, énoncer une évidence, l'hiver qui s'en vient, les feuilles déjà tombées, l'odeur du *chutney* aux fruits, grande spécialité d'Alice, qui va flotter dans la maison pendant des jours. Rien d'important n'est exprimé. Il faudrait que quelqu'un mette fin à cette soirée, ils le savent tous les quatre, mais, de toute évidence, ils ignorent comment et la laissent s'éterniser.

Après un silence d'une longueur presque insoutenable, Maria tousse dans son poing et dévisage son frère et ses sœurs l'un après l'autre.

« Ça fait pourtant douze ans qu'on s'est pas vus ! »

* * *

Est-ce l'absence de leur frère qui, de toute façon, a toujours ri de leurs effusions et de ce qu'il appelait leurs réactions de filles, ou la certitude qu'elles n'auront pas à essuyer ses sarcasmes de mâle pour qui la démonstration de quelque sentiment que ce soit est un signe de faiblesse ? Toujours est-il que, sitôt installées sur la banquette arrière du taxi, elles ont repoussé cette maudite pudeur qui les avait empêchées jusque-là de communiquer comme elles l'auraient voulu. Tititte et Teena se sont jetées dans les bras de leur sœur, des caresses ont été échangées, des chapeaux se sont emmêlés, des cris de joie ont monté dans la nuit froide de Ville-Émard. Oubliés, la confession bouleversante de Teena et le triste récit de Maria, le temps était à la réjouissance. Elles avaient de nouveau quinze ans, des tas d'anecdotes à se raconter et le faisaient toutes les trois en même temps, au milieu de fous rires de petites filles hystériques entrecoupés d'exclamations et de tapes sur les cuisses. Les sœurs Desrosiers étaient enfin réunies après douze ans de séparation et rien, pas même le sourire moqueur du chauffeur de taxi, ne pouvait les empêcher de manifester leur joie.

Tititte et Teena ont décidé de prendre congé le lendemain après que cette dernière a lancé l'idée de passer la fin de la soirée chez elle autour d'un fond de bouteille de cognac qu'elle gardait pour une grande occasion.

« Si ça c'est pas une grande occasion, j'me demande c'qui peut l'être ! Pis tu resteras à coucher, toi aussi, Tititte ! On va faire comme quand on était petites pis qu'on se cachait de moman pour se conter nos histoires d'amour… »

Et c'est ainsi que la première nuit de Maria à Montréal s'est terminée dans l'euphorie des révélations sans censure de trois gamines qui se retiennent depuis trop longtemps et qui laissent sortir sans contrainte le beau comme le laid, le bon comme le méchant. Elles se sont rendu compte qu'elles n'avaient pas que des choses négatives à se raconter, que leur vie avait tout de même connu de bons moments; elles ont ri des hommes, elles ont ri d'elles-mêmes, de leur vie, de leurs peurs. Elles ont parlé de Montréal, de Providence, de Londres, des êtres humains, surtout des hommes qui sont partout les mêmes, c'est-à-dire peu fiables et hypocrites; elles se sont épanchées sur les tromperies de l'amour, le prix à payer qui est toujours trop élevé, l'abandon qui se trouve si souvent au bout du chemin, la solitude.

Elles ont veillé tard, un peu pompettes vers la fin, moins claires dans leurs propos. Elles ont radoté en se disant qu'elles radotaient et en riant parce qu'elles continuaient à radoter. Une nuit ronde, lisse, pleine, complète.

Tititte a dormi dans le sofa du salon, Maria avec Teena. L'aînée s'est vite endormie, on pouvait l'entendre ronfler jusqu'à l'autre bout de l'appartement, les deux autres ont continué à jaser. Elles se sont enlacées comme lorsqu'une des deux avait de la peine là-bas, si loin, il y a si longtemps, et elles ont pleuré.

Août 1914

Elle n'a plus de temps à perdre. Sa mère lui a dit qu'elle doit être de retour à la maison pour midi et il est déjà passé dix heures et demie. Elle aura donc à se garder un peu d'argent pour revenir de la gare Windsor en tramway, sinon elle arrivera en retard. Elle emprunte de nouveau le trottoir nord de la rue Sainte-Catherine en direction de l'ouest pour profiter du soleil. Des nuages commencent à s'assembler au-dessus du mont Royal, annonçant un de ces orages d'août qui vous prennent par surprise et vous trempent en quelques secondes. Le soleil va disparaître d'une minute à l'autre. Pourvu qu'il ne pleuve pas avant qu'elle n'atteigne la rue Windsor. Il faudrait d'ailleurs qu'elle commence à vérifier le nom des rues, elle n'est peut-être plus très loin... Elle s'informe auprès d'une vieille madame qui lui dit qu'elle a une bonne dizaine de rues à traverser, que c'est là-bas, passé le magasin Morgan, passé le magasin Eaton...

« Mais commence à guetter le nom des rues quand tu seras rendue chez Eaton, ça sera pas loin, peut-être deux trois rues... »

Juste avant d'arriver à la rue Saint-Urbain, elle passe devant le Gayty, un endroit mal famé au dire de sa mère, où les femmes se déshabillent pour de l'argent. Elles montent sur la scène dans de beaux costumes, et au lieu de chanter ou de danser... elles enlèvent leurs vêtements ! Les hommes sont assis comme au théâtre et, loin de regarder le spectacle en silence, chahutent en tétant des cigares pendant que les femmes se déshabillent. Rhéauna traverserait bien la rue pour aller contempler les affiches, mais le temps presse et elle se contente de lire le titre de la revue sur la marquise qui ressemble en tous points à celle du Théâtre Français où joue *Quo Vadis*. Ça s'intitule *Gay New Yorkers* et ça met en vedette Dolly et Stella Morrissey. Des sœurs qui se déshabillent en même temps? Peut-être même ensemble? Peut-être même des jumelles? La tête pleine de madames en petite tenue qui se promènent sur une scène sans rien faire d'autre que d'enlever ce qu'il leur reste sur le corps, Rhéauna presse le pas, traverse Jeanne-Mance puis Bleury, en évitant de regarder les vitrines qu'elle longe, même si certaines d'entre elles semblent des plus intéressantes.

Elle se retrouve en terrain inconnu depuis qu'elle a dépassé la rue Saint-Laurent. D'un seul coup, tout a l'air plus sérieux, les bâtisses sont hautes, la pierre sombre, les boutiques chic, plus personne ne parle français, même le physique des gens a changé. Ou, du moins, leur façon de bouger. Au contraire de ceux qu'elle a croisés dans l'est, ils ont l'air de moins se promener pour le plaisir de se promener, ils vont tous quelque part – un peu comme Maria que les passants et les vitrines n'intéressent pas – et iraient sans doute jusqu'à vous bousculer si vous ne vous arrangiez pas pour les éviter quand ils vous foncent dessus. Ou c'est peut-être juste une impression qu'elle a parce qu'elle se trouve dans un endroit de la ville qu'elle ne connaît pas. Sa mère l'a bien emmenée voir le père Noël anglais chez Eaton après lui avoir montré le père Noël français chez Dupuis Frères, mais elles traversent rarement Saint-Laurent parce qu'elles savent que l'ouest de Montréal appartient aux autres, aux Anglais, en tout cas à ceux parmi les Anglais qui ont de l'argent et qui mènent tout, les industries autant que le commerce.

Une fois passé le grand magasin Morgan où elle n'a jamais mis les pieds parce que sa mère prétend que tout y est trop cher, juste en face d'une église à l'architecture bizarre qui la fait ressembler à un château fort plutôt qu'à un lieu de prière – les romans de chevalerie, encore, Arthur, Merlin, Morgana, les dragons –, Rhéauna tombe en arrêt devant un magnifique matou gris des griffes d'en avant jusqu'au bout de la queue, excepté un triangle de poils blancs sur le jabot qu'il semble porter avec une grande fierté. Il l'a vue s'approcher et s'est mis dans son chemin. Il frotte sa tête contre ses bottines, son museau sur ses bas, ronronne. Elle se penche, le gratte derrière les oreilles. Il étire la tête, ferme les yeux pendant un moment. Son ronronnement devient presque véhément.

«T'es ben beau! Mais t'es ben beau! Oui, t'es un beau chat!»

Il s'assoit sur son derrière, lève la tête, la fixe droit dans les yeux. C'est du moins ce qu'elle croit.

«Qu'est-ce que tu fais tout seul, comme ça, au beau milieu de la rue Sainte-Catherine? Es-tu perdu? Hein? Es-tu perdu?»

Elle regarde autour d'elle.

«Pauvre minou, d'où c'est que tu peux ben sortir, t'es tout beau, tout propre, tu vis certainement pas dans la rue! T'es peut-être le chat du curé. Hein? T'es-tu le chat du curé?»

Elle ne voit pas le presbytère qui doit être situé quelque part derrière l'église. Elle ne sait même pas s'il s'agit d'une église catholique. Elle se trouve peut-être dans une paroisse protestante. Devant une de ces églises où toute représentation de Dieu ou de ses saints est interdite, juste décorée de motifs géométriques, un endroit sévère où il est difficile de rêver. Elle aime bien rêvasser sous la voûte illustrée de l'église de sa paroisse et se demande souvent ce qu'elle ferait pendant les sermons assommants du curé si elle n'avait pas les tableaux chamarrés et les statues peintes à regarder. Mais, qui sait, peut-être que les prêtres protestants font des sermons moins ennuyeux que les prêtres catholiques?

«Veux-tu que j'aille te reconduire?»

Elle consulte l'heure sur l'horloge du bijoutier, de l'autre côté de la rue Sainte-Catherine.

«Mais j'ai pas le temps… Ça me fait de la peine, minou, mais j'ai pas le temps de m'occuper de toi…»

Elle le prend dans ses bras, marche jusqu'à la rue University, le dépose par terre.

«R'garde, c'est par là. C'est par là, chez vous…»

Il s'assoit de nouveau en levant la tête vers elle. Et lance le miaulement le plus pathétique qu'elle ait jamais entendu. Ce n'est pas le miaulement d'un chat adulte, mais celui d'un bébé chat qui vient de perdre sa mère et qui réclame sa tétée, un pitoyable filet sonore qui commence comme un hoquet et se termine sur une longue note étouffée. Comme un sanglot humain. On dirait qu'il l'appelle à son aide, qu'il va mourir dans les minutes qui viennent si elle l'abandonne.

«Mon Dieu, mais quelle sorte de voix que t'as, pauvre toi! Es-tu malade, hein, es-tu malade?»

Elle entend sa mère qui lui reproche une fois de plus de trop s'occuper des animaux errants, ses avertissements sévères à cause de la saleté et des maladies. On ne sait pas où ces animaux-là sont allés, ce qu'ils ont pu attraper, ce qu'ils transportent dans leur poil… Rhéauna recule de quelques pas. Ce chat est peut-être moins propre qu'elle le croit. Ou atteint d'une maladie grave qu'il pourrait lui transmettre. Mais non, il est trop beau, il fait trop pitié avec cette petite voix qui sort d'un si gros corps…

«Ça me fait de la peine de te laisser tout seul comme ça, mais j'ai quelque chose de ben important à faire… Va-t'en chez vous, là, r'garde, c'est juste là, derrière l'église… Y a un beau repas qui t'attend… Des beaux restants. Ou ben une belle boîte de manger en boîte, peut-être du beau Paris Pâté.»

Il ne bouge pas. Elle non plus.

Elle sait qu'elle perd un temps précieux, mais elle n'arrive pas à se décider à abandonner ce pauvre chat perdu qui semble s'être pris d'affection pour elle.

Sa mère, encore :

«Les animaux, ça a pas de sentiments, Nana, surtout les chats. Les chats sont prêts à tout pour un repas gratis! Je le sais, y en a assez qui tournent autour du marché Saint-Laurent pis des poubelles du Paradise!»

Celui-là semble pourtant l'aimer.

Elle hausse les épaules. Niaiseuse! Il ne la connaissait pas deux minutes plus tôt, comment pourrait-il l'aimer?

Elle a entendu parler du coup de foudre. Sa mère lui a raconté l'histoire de Roméo et Juliette et en a profité pour la prévenir de se méfier de ses sentiments pour les animaux à deux pattes qui sont trop beaux, trop fins, ça cache souvent des choses pas très propres. Rhéauna lui avait alors répondu que si elle se méfiait des animaux à quatre pattes et de ceux à deux pattes, elle finirait toute seule dans son coin sans jamais parler à personne et avait failli recevoir une tape sur les fesses.

«Faut que je m'en aille, minou... Bye...»

Elle traverse la rue University en se faufilant entre les voitures.

Arrivée sur le trottoir qui longe le magasin Eaton, elle a la faiblesse de se retourner.

Il est toujours là, assis à côté de la grille qui encercle l'église. Elle a l'impression qu'il la cherche. Elle sait bien que c'est faux, pourtant, que c'est impossible. Elle se lève sur le bout des pieds parce qu'une voiture vient de s'arrêter devant elle. Le chat est toujours là. Mon Dieu, est-ce qu'il se tord la tête comme elle le fait elle-même, est-ce qu'il la cherche pour de vrai? Est-ce qu'elle vient de se trouver un véritable ami, un compagnon à l'amour invincible, au dévouement sans faille, qu'elle n'a pas le droit d'abandonner?

Mais qu'est-ce qu'elle ferait d'un chat si elle doit bientôt repartir pour la Saskatchewan? Surtout avec une mère qui ne veut pas d'animaux dans sa maison? Le cacher? Où? Le nourrir? Comment?

Et pendant les deux minutes qui suivent, elle vit un grand amour. Au complet. Du début à la fin. Après le coup de foudre initial, c'est la certitude qu'elle ne pourra plus vivre sans lui. Quel qu'en soit le prix. Elle l'aime trop. Au point que ça fait mal. Elle le dissimulera, s'il le faut, elle le nourrira de restes de table après l'avoir installé dans le hangar, derrière la maison, où sa mère ne se rend jamais. Elle se cachera pour lui rendre visite, même en hiver. Elle lui installera une litière qu'elle changera le plus souvent possible, elle lui fournira une couverture de laine pour les nuits les plus froides... Elle ne peut pas l'abandonner comme ça, au coin de University et Sainte-Catherine, il a besoin d'elle et elle a besoin de lui. Elle a une fois de plus oublié son projet d'évasion, elle a même pensé à l'hiver qui va venir comme si elle allait le passer à Montréal, et se concentre sur le geste chevaleresque de venir au secours d'un pauvre chat gris. Elle se trouve courageuse, s'admire, s'en amuse.

Elle continue de le regarder. Il fait sa toilette, les oreilles couchées comme s'il avait peur, relevant la tête de temps en temps pour voir si elle n'est pas revenue, sursautant lorsqu'un piéton le frôle de trop près... Puis, peu à peu, le bon sens lui revenant, son cœur retrouvant son rythme normal, Rhéauna se dit qu'après tout le curé peut mieux s'occuper de lui qu'elle ne pourrait le faire elle-même parce qu'ils se connaissent bien, que le minou gris a un chez-soi, qu'il y est habitué, qu'il y est sans doute heureux. Elle le trouve beau, oui, c'est vrai, elle l'enlèverait volontiers pour le garder prisonnier de son amour et de ses caresses, mais son existence ne pourrait pas rester cachée très longtemps et le prix à payer serait trop élevé, pour lui autant que pour elle. Et, après tout, serait-il heureux avec elle? Et pour combien de temps?

Et Théo n'arriverait sans doute pas à garder le secret. Un enfant d'un an c'est fouineur, c'est démonstratif, c'est incapable de garder clandestine la présence d'un chat dans le hangar...

Dire qu'elle avait commencé par le haïr, cet enfant tombé dans sa vie sans qu'elle s'y soit attendue, ce paquet de langes, criard et gigotant, qu'elle aurait volontiers jeté par la fenêtre, au début, parce qu'il était la cause de sa séparation d'avec ses sœurs et de ses grands-parents. Il avait pourtant su la séduire avec son sourire dévastateur, ses rires perlés, ses balbutiements si amusants. Il était vite devenu le point focal de sa nouvelle vie, sa raison d'exister. Pour accepter cette étrange route qu'avait empruntée son existence – une nouvelle ville, trop grande pour elle, trop loin de chez elle, une mère qu'elle ne reconnaissait pas, une école où elle ne se sentait pas acceptée –, elle s'était concentrée sur son amour naissant pour lui, sur les chatouillements qu'elle lui infligeait quand Maria était partie travailler, le soir, et qu'elle jouait à la mère avec lui parce que c'était son rôle depuis qu'elle était arrivée de la Saskatchewan, les bains qu'elle lui faisait prendre dans une cuvette d'eau tiède et qui laissaient la cuisine dans un état épouvantable, et même ses couches, pourtant dégoûtantes, parce qu'elle aimait son gazouillement quand elle lui poudrait les fesses et le zizi.

Et, surtout, ce moment béni lorsqu'elle le mettait au lit et qu'elle lui racontait des histoires qu'il ne comprenait pas mais qu'il semblait écouter parce qu'il aimait le son de sa voix. Elle lui lisait souvent sa partie favorite d'*Alice au pays des merveilles,* le chapitre au sujet du morse hypocrite et des huîtres si naïves qui lui tire toujours des éclats de rire, et Théo faisait semblant d'écouter, brassait l'air de ses petits pieds, jouait avec ses orteils, suçait son pouce avant de s'endormir sans prévenir, comme si elle l'avait assommé. Ou ennuyé.

Après tout, le premier mot qu'il avait prononcé n'avait-il pas été Auna et non maman? Elle n'avait pas osé le dire à sa mère, elle avait même prétendu qu'il avait prononcé un mot qui ressemblait à maman, ce qui avait mis Maria en joie. Même s'il avait dit maman, ne l'aurait-elle pas pris pour elle?

Elle a donc à choisir entre deux amours, l'un permanent, l'autre tout nouveau et sans doute problématique. Et, surtout, éphémère.

Elle lance un long soupir, scrute le ciel qui s'est encore assombri. Vite, se retourner, reprendre sa course avant que la pluie n'arrive, oublier le si bel animal tout gris, le laisser à son destin de chat peut-être errant, ou alors gâté par un curé en mal d'affection, et trouver la rue Windsor où se trouve la gare.

Les vitrines du magasin Eaton semblent magnifiques, déjà aux couleurs de l'automne, mais elle ne s'y attarde pas; au contraire, elle hâte l'allure et scrute le nom de chaque rue qu'elle croise. Elle finit par passer tout droit parce qu'elle ignore que la rue Windsor change de nom, au nord de Sainte-Catherine, pour s'appeler Peel. Elle commence même à désespérer de jamais trouver la gare Windsor, elle pense même à demander son chemin lorsqu'elle aboutit devant le grand magasin Ogilvy où travaille sa tante Titite. Elle pourrait aller le lui demander, à elle! Mais comment expliquer sa présence si loin dans l'ouest de la ville? Toute seule, en plus? Elle ne peut quand même pas lui avouer son projet! Un coup de téléphone et tout serait terminé!

Elle trouvera bien une explication.

Si la chose était possible, elle dirait que les odeurs qui l'assaillent lorsqu'elle pousse la lourde porte sont encore plus capiteuses, plus enivrantes que chez Dupuis Frères. Peut-être un peu lourdes parce que le magasin est plus petit, mais on voudrait quand même s'y noyer à tout jamais et ne plus rien respirer d'autre pour le reste de sa vie. Les comptoirs de parfums scintillent sous l'éclairage à l'électricité, les vendeuses se tiennent encore plus raides que chez Dupuis Frères et, surtout, elles sont plus nombreuses même s'il y a moins de clientes qui circulent dans les allées.

Elle n'a aucune idée où peut se trouver le comptoir des gants.

Elle s'approche d'une grande perche qui arbore un air supérieur et le lui demande. Cette dernière ne baisse même pas les yeux sur elle pour lui répondre.

«I'm sorry, I don't speak French.»

Incapable de formuler sa demande de façon claire et précise en anglais, Rhéauna sort le mot clef que, par bonheur, elle connaît :

«Gloves!»

La vendeuse pointe le doigt en direction de la porte que vient de franchir Rhéauna. Elle a passé à côté sans s'en rendre compte! Elle revient sur ses pas en étirant le cou.

Dans le coin sud-est du magasin, derrière un comptoir de bois massif sculpté, trône sa tante Tititte, royale, plus imposante que lorsqu'elle vient jouer aux cartes avec ses sœurs. Sa robe violette, sévère et d'un chic fou, la vieillit un peu, mais ce n'est pas grave. C'est peut-être même voulu. Acheter des gants, touche finale à une tenue vestimentaire élégante, est une chose importante et celle qui va vous les vendre doit respirer l'expérience autant que le dévouement.

Tititte Desrosiers est justement en train de montrer des gants à une vieille madame toute droite malgré son âge avancé. Elle lui parle avec douceur, semble-t-il, elle prend chaque gant, le caresse, en vante la beauté et la souplesse, les coutures fines, la légèreté du cuir. Tout ça sans aucune veulerie, en gardant sa dignité et même une certaine noblesse. Une reine qui s'adresse à une autre reine. Son port de tête est même plus noble que celui de sa cliente.

Rhéauna est fascinée. Cette vendeuse n'est pas du tout la sœur de sa mère qu'elle connaît, si drôle et si légère dans ses mouvements, si triste aussi, parfois, sans qu'elle dise jamais pourquoi, au point qu'on aurait envie de la serrer contre son cœur et de lui dire que ce n'est pas grave, que ça va passer. Dans ces moments-là, Maria l'appelle sa sœur nostalgique ou bien la triste Tititte. Au contraire, la personne que Rhéauna a devant elle est une femme impressionnante aux gestes sûrs dont on ne penserait jamais qu'elle peut connaître des moments de faiblesse. Comment quelqu'un peut-il autant se transformer? Est-ce que c'est un rôle qu'elle joue, comme une actrice dans les vues animées? A-t-elle une personnalité pour le jour et une autre pour le soir? Est-ce là un rôle qu'elle doit jouer pour plaire à ses patrons et vendre plus de gants? Ou alors, est-ce que c'est la tante Tititte qu'elle connaît qui n'est pas la vraie? Est-il possible qu'elle soit les deux à la fois, qu'elle passe d'une personnalité à l'autre en se faufilant chaque jour dans deux mondes distincts et qu'elle vive en même temps deux Tititte dépareillées? Comme sa mère qui a aussi deux personnalités, l'une pour la rue Montcalm, l'autre pour le Paradise… Est-ce que tout le monde, un jour ou l'autre, finit par avoir deux personnalités?

Elle hésite à s'approcher du comptoir, fascinée par cette nouvelle tante dont elle ignorait l'existence. Qui sait, c'est peut-être même une femme avec une histoire différente de celle qu'elle connaît à Tititte Desrosiers!

La discussion continue ferme entre les deux femmes. Combien de temps ça va lui prendre pour vendre cette paire de gants à cette cliente qui semble si hésitante et qui n'arrive pas à se décider? Va-t-elle réussir à la convaincre ou se verra-t-elle dans l'obligation de la laisser partir à regret parce qu'elle n'aura pas été à la hauteur de la confiance qu'a mise en elle le magasin Ogilvy? Et lorsque la cliente va s'éloigner, l'autre Tititte, la plus faible, la plus sensible, va-t-elle refaire surface?

Rhéauna n'a pas le courage d'aller l'interrompre dans son travail. De toute façon, tout serait trop compliqué : les questions, l'inévitable inquiétude au fond des yeux de sa tante, l'incompréhension, le doute devant l'histoire invraisemblable qu'elle serait obligée d'inventer pour expliquer sa présence ici. De plus, elle risquerait de lui faire perdre une vente déjà difficile... Elle s'éloigne donc de cette madame qu'elle ne reconnaît pas dans son rôle de vendeuse de gants d'un magasin chic de l'ouest de Montréal et qui devrait être la sœur de sa mère. Elle se faufile vers la sortie et se retrouve sur le trottoir de l'établissement de pierre grise, troublée et un peu perdue. Il faut qu'elle demande son chemin à quelqu'un. De préférence une personne qui comprend sa langue, bien sûr.

Des promeneuses bien mises déambulent, souvent par paires, des messieurs les saluent en levant leur chapeau, comme sur le parvis de l'église le dimanche matin. Qu'est-ce qu'ils font dans la rue à cette heure? Ils ne sont pas obligés de travailler pour gagner leur vie? Ils passent leur temps en promenades et en salutations? Un cheval hennit parce qu'une automobile l'a frôlé de trop près. Engueulade monstre entre les deux conducteurs. Des gens s'arrêtent au bord du trottoir, une petite foule se forme. On prend parti pour l'un ou l'autre des deux hommes qui s'engueulent. Le conducteur de l'automobile est plus arrogant, celui de la calèche plus enragé. Des gens rient, d'autres semblent vouloir se mêler à la chamaille. Rhéauna s'approche d'un monsieur assez jeune et lui demande avec toute la politesse dont elle est capable où se trouve la rue Windsor, s'il vous plaît. Il parle français avec un gros accent, ce qu'il dit est toutefois très clair : elle a passé tout droit, mais c'est facile, elle va trouver la rue Windsor à trois blocs d'ici si elle traverse la rue parce que la rue Windsor change de nom à l'angle de Sainte-Catherine pour devenir la rue Peel.

Une rue qui change de nom en plein milieu de son parcours! Elle n'a jamais vu ça de sa vie et se promet d'aller vérifier quand elle arrivera au bon carrefour.

Octobre 1912

Elles sont réunies autour de la table de la cuisine. Ça sent bon le pain grillé, presque brûlé, fait sur le poêle à bois allumé dès le petit matin par Teena, et le café fort passé dans un percolateur comme Maria n'en a jamais vu et qui, semble-t-il, vient d'Angleterre, cadeau de Tititte à son retour de Londres. Cette dernière a étendu ses pieds sur la chaise à côté de la sienne comme elle le faisait déjà, enfant, en Saskatchewan. Elle passe sa vie debout et saute sur toutes les occasions qui se présentent pour reposer ses jambes. Elle a soufflé sur chaque gorgée qu'elle allait boire, même lorsque le café avait refroidi.

«Les Anglais, y boivent du thé, mais y vendent des ben belles cafetières... Ça a l'air que ça vient d'Italie. Y s'en servent pas, mais y en ont toutes une... au cas où y en auraient besoin un jour, je suppose...»

Pendant tout le petit déjeuner, Maria, qui n'a eu aucun symptôme de grossesse depuis son réveil, ni ballonnements ni haut-le-cœur, a jeté des coups d'œil curieux par la grande fenêtre qui donne sur un jardin dévasté par la pluie, le vent, et un hangar en bois qui servait autrefois de toilettes extérieures désormais utilisé comme remise.

«C'est là que le monde allaient aux toilettes? En pleine ville? A' campagne, je comprends, mais...

— Vous en aviez pas, à Providence?

— En tout cas, j'en ai jamais vu. Ça ressemble à celles de notre village, vous trouvez pas? J'en avais pas revu… Mais peut-être que je les voyais pas, à Providence, qu'y étaient mieux cachées.…»

Ici, à Montréal, ses sœurs lui ont appris qu'on appelle ça des bécosses, déformation de *back house*, et elles ont bien ri.

«Si tu dis que tu veux aller aux toilettes, ici, y en a une grande partie qui comprendront pas… Y faut que tu dises que tu veux aller aux bécosses…»

Maria avait secoué la tête.

«J's'rai jamais capable de dire ça! Ce mot-là est ben que trop laid! Bécosses! Hé que c'est laid!»

Teena a étendu une épaisse couche de sucre d'érable sur une énorme tranche de pain beurré.

«Vous vous souvenez, moman appelait ça des estoilettes quand y avait de la visite pis qu'a' voulait bien parler…»

Des tapes sur les cuisses, de grands éclats de rire, le souvenir de nuits d'été où il fallait traverser le jardin, longer le potager, avant de pouvoir aller se soulager. La peur de croiser des créatures de la nuit, animaux ou fantômes, ceux-ci plus terrifiants que ceux-là. Et les pots de chambre, l'hiver, la corvée d'aller les vider, chacune à son tour, rougissantes de honte et faisant tout pour ne pas se faire voir des autres. Les quolibets, parfois, surtout de la part de leur père :

«Avez-vous lu *La porteuse de pain* de Xavier de Montépin? Ben, nous autres, aujourd'hui, on a *La porteuse de…*»

Sa femme, rouge de colère, l'interrompait toujours avant qu'il ne finisse sa phrase :

«Méo! Fais attention à ce que tu vas dire! Tu pourrais ben passer la nuit prochaine dans une boulangerie qui est loin de sentir le pain!»

Méo se taisait juste à temps, faisait un clin d'œil à ses filles qui riaient et laissait passer celle qui avait hérité ce matin-là de la vilaine tâche.

L'odeur des œufs, du bacon, du sirop d'érable, des confitures de toutes sortes placées dans des coupelles de verre et du fromage cheddar fort se mêle à celle des toasts et du café. Elles resteraient bien toutes les trois enfermées dans ce cocon d'effluves et de chaleur, à l'abri de tout et de tous, un trio de folles enfin réunies après tant d'années de séparation et qui ont trop de choses à se raconter pour tenir compte de l'existence du reste du monde. Deux d'entre elles ne se sont pas présentées au travail ce matin-là et devront en payer les conséquences; quant à la troisième, elle voudrait s'en chercher, du travail, au moins tant qu'elle pourra bouger avant d'accoucher.

La troisième cafetière a été vidée par petites tasses bues du bout des lèvres. Des miettes de pain ont été ramassées avec un index mouillé, des taches de confiture essuyées à l'aide d'un torchon humide. La conversation languissait après les propos superficiels du petit déjeuner, comme si personne n'arrivait à exprimer l'essentiel, ce que trois sœurs devraient se dire d'important quand elles se retrouvent autour d'un café un matin où elles ont décidé de faire l'école buissonnière. On a beaucoup ri, on a versé quelques larmes et lancé des méchancetés sans conséquence, mais le principal de ce qu'elles auraient à se dire restait inexprimé et leur pesait.

Teena avait livré sa confession la veille, c'est vrai, et Maria n'osait pas poser de questions au sujet de cet enfant élevé à la campagne et dont elle avait ignoré l'existence, attendant qu'elles soient seules, toutes les deux, que Teena se retrouve une fois de plus en veine de confidences, mais qu'en était-il de la discrète Tititte qui se contentait, comme elle l'avait toujours fait, de suivre la conversation des autres sans trop s'y mêler? Elle avait écouté le récit de Maria, chez Ernest, celui de Teena aussi, mais d'elle, de sa vie, de ses joies, de ses souffrances, rien. Toujours le même mystère autour de son retour d'Angleterre, jamais expliqué, sujet aux pires suppositions et aux plus bas commérages.

Maria allait lui poser une question directe lorsque Tititte a toussé dans son poing, signe qu'elle allait parler.

«Y faudrait que je retourne chez Ogilvy à midi, les filles… Je leur ai dit que j'allais voir un docteur. Ça prend pas une journée complète, une visite chez le docteur, y risqueraient de se poser des questions…»

Teena s'est levée pour aller nettoyer la cafetière dans l'évier.

«Moé aussi y faut que je rentre à midi. Faut ben que quelqu'un vende les maudits souliers, chez L. N. Messier, chus la seule vendeuse qui a du bon sens… Monsieur Desbaillets, qui travaille avec moi, se contente la plupart du temps de reluquer les jambes des femmes… en tout cas, celles qui acceptent d'être servies par un homme, pis qui sont pas les plus respectables, si vous voyez ce que je veux dire… Tu peux rester ici, Maria, comme tu vois y a de la place en masse… Installe-toi, défais ta valise, va te promener dans le quartier…

— J'veux pas te déranger…

— Tu me déranges pas. T'es ma sœur. Pis j't'ai pas vue depuis douze ans. C'est quand même mieux que de louer une chambre sale pis déprimante dans une maison de la rue Mont-Royal. Que t'as probablement pas les moyens de te payer de toute façon…

— J'vas aller me chercher de la job tu-suite à matin, j'le promets…

— C'pas nécessaire de te lancer le premier matin comme ça… Tu saurais pas où aller… J'vas m'informer, chez Messier…»

Sa dernière gorgée de café avalée, Tititte s'est levée à son tour pour aller porter sa tasse dans l'évier, sur le tas de vaisselle sale.

«J'peux demander, moi aussi, chez Ogilvy, si y ont pas besoin de quelqu'un… Ça serait peut-être pas comme vendeuse en commençant, pis Ogilvy c'est loin d'ici, mais on verra ben…

— Si c'est comme femme de ménage, laisse faire… J'ai pas pantoute envie de laver des planchers de grand magasin entre minuit pis quatre heures du matin! Chus pauvre, j'ai rien devant moé, mais j'ai mon orgueil!

— Tu penses que les femmes de ménage ont pas d'orgueil?

— C'est pas ça que j'ai dit…

— C'est exactement ça que t'as dit, Maria… Pis si c'est ça qu'on t'offre, prends-le, en attendant, c'est mieux que rien.

— Dans ma condition?

— Y a des femmes qui ont fait ben pire que ça dans ta condition…

— J'travaillais dans une factrie de coton, à Providence, Tititte, j'le sais! J'arrive pas de vacances! Pis j'serais probablement restée attelée à ma machine jusqu'à mon accouchement si j'étais restée là!

— Tu penseras à ça un autre jour…»

Elles ont lavé la vaisselle comme lorsqu'elles étaient petites et qu'elles se battaient pour ne pas la laver, elles ont fait une rapide toilette, se sont habillées – Tititte prétendait qu'elle n'était jamais allée travailler deux jours de suite dans la même robe et craignait que quelqu'un s'en rende compte –, Teena a convaincu Maria d'aller la reconduire à son travail pour faire connaissance avec le quartier, et elles étaient sur le point de quitter l'appartement de la rue Fullum lorsque Tititte s'est rassise dans un des fauteuils du salon après avoir enlevé son chapeau. Les deux autres se sont regardées en fronçant les sourcils. Teena s'est approchée d'elle.

«Tititte! On s'en va!»

Tititte l'a regardée droit dans les yeux.

«J'ai quequ'chose à vous dire…»

Teena et Maria ont eu la même idée et ont dissimulé leur fou rire derrière leur main.

«Je le sais ce que vous pensez… mais une fille Desrosiers enceinte c'est assez pour le moment. Dans mon cas ce serait déshonorant, comme pour Teena, y aurait pas de quoi rire! Pis c'est pas le temps de faire des farces. V'nez vous assire…»

177

Maria et Teena se sont installées côte à côte dans le grand sofa, elles ont retiré leur chapeau, leurs gants, détaché leur manteau.

«Depuis le temps que vous vous demandez ce qui est arrivé à Londres…»

Teena a battu des mains comme une fillette de quatre ans. Tititte a lancé un soupir d'exaspération.

«Teena! J'viens de dire que c'tait pas le temps de faire des farces!

— C'pas une farce! Chus contente pour vrai!

— Oui, mais t'as trente-sept ans! Une femme de trente-sept ans qui se respecte tape pas des mains comme ça…

— Mon Dieu! Où c'est que t'as pris ça, toi? C'est pas parce que j'ai trente-sept ans que j'ai pas le droit de montrer que chus contente!

— Un peu de retient ben, Teena, c'est tout ce que je te demande. C'que je viens de décider de vous dire est dur à avouer, pis ça me prend tout mon petit change! Vous nous avez tou'es deux conté votre histoire, hier, pis moi chus restée à côté de la fenêtre comme une dinde, comme quelqu'un qui a jamais rien vécu. J'tais pognée pour écouter, mais j'avais envie de parler, moi aussi, vous savez!

— On pouvait pas le deviner, Tititte! T'as toujours refusé de parler, avant! Depuis des années!»

Tititte a baissé la tête.

«C'est pas des affaires faciles à avouer… pis… on peut pas dire qu'Ernest comprend les histoires de femmes…

— Tant qu'à moi, Ernest comprend pas grand-chose…»

Elles ont souri malgré elles, la bonne vieille complicité des sœurs Desrosiers s'est installée dans le salon, se lovant entre elles comme un chat qui dort.

«Ôtez donc vos manteaux… ça risque d'être long.»

Après que le calme est revenu – on aurait dit qu'une quatrième personne était présente dans le salon tant l'amas de manteaux, de chapeaux et de gants sur le deuxième fauteuil avait pris forme humaine –, Tititte a fermé les yeux quelques secondes avant de se lancer dans son récit.

«Moi, c'est pas un beau physique qui est responsable de ce qui m'est arrivé. Teena l'a vu, a' peut le dire…»

Teena a fait des yeux ronds moqueurs et Tititte a tapé du plat de la main sur le bras de son fauteuil.

«J'ai dit que c'était pas le temps de faire des farces! Pis y était pas laid au point de faire des grimaces, Teena! Si vous voulez pas que je parle, j'peux m'arrêter là, vous savez…»

Teena a levé la main en signe de paix, s'est excusée.

«Tu peux continuer, j'parlerai pus…»

Tititte s'est carrée dans son fauteuil, a arrangé sa robe autour d'elle, puis s'est raclé la gorge.

«Moi aussi j'étais vieille fille, moi aussi le temps passait… mais ça me dérangeait pas. J'étais bien dans ma job chez Morgan – Ogilvy était pas encore construit dans ce temps-là –, Teena pis moi on était les seules femmes que je connaissais qui gagnaient leur vie, qui étaient indépendantes. On était plutôt fières de ça, elle pis moi… Mais à un moment donné j'ai rencontré un homme tellement différent de ceux que j'avais connus jusque-là que… ben oui, que j'me sus laissé prendre. On peut pas dire que chus tombée en amour comme Teena, les pieds par-dessus la tête, là, non, c'tait pas ça… c'tait plus… je sais pas… Y connaissait des choses que les autres connaissaient pas, y me parlait jamais d'affaires qui m'intéressaient pas, y était pas fin juste pour… vous voyez ce que je veux dire… C'tait pas juste ça qu'y voulait pis ça paraissait. C'tait un Anglais d'Angleterre qui était venu passer quequ'mois ici pis qui s'en retournerait chez eux dans pas longtemps parce que son contrat était fini. Y travaillait pour un grand magasin, à Londres, le fameux Harrods, pis y était venu voir si Harrods pourrait acheter Morgan ou quequ'chose du genre, j'me souviens pas trop… Pis rassurez-vous, c'tait pas… y faisait pas partie de ce que popa appelait *les vieux garçons* en prenant des airs efféminés, si vous voyez ce que je veux dire, j'm'en serais rendu compte pis j'me serais éloignée… Mais sa galanterie, sa politesse, sa propreté, son sens de l'humour ont fini par venir à bout de mes réticences. Parce que j'en avais, des réticences! J'me disais y est ben drôle, c'te gars-là, c'est-tu parce qu'y est laid qu'y est pas plus entreprenant? Y était pas laid à faire peur, non, mais dans un groupe d'hommes, y aurait pas été loin d'être le dernier que j'aurais choisi… Pourtant, j'ai sorti avec… pis j'ai trouvé ça agréable… Toujours le bon mot, toujours le bon choix de vues animées… Tout ça pour vous dire que de fil en aiguille, on a fini par sortir sérieusement, pis qu'un bon soir y m'a demandé de le suivre à Londres. Une vraie demande en mariage en bonne et due forme, là, le genou à terre pis toute… C'tait la première fois qu'un homme se mettait à genoux devant moi pis ça m'a fait tout un effet, laissez-moi vous le dire! C'est probablement sur un coup de tête que j'ai dit oui, je le savais ben que c'était niaiseux, que ça arrivait trop vite, que c'était une décision qui demandait qu'on y pense… Mais… je sais pas… peut-être la perspective de quitter une vie déjà toute tracée, sans chance de changements, de prendre le bateau pour l'Angleterre, de vivre à Londres, une des plus grandes villes du monde… C'est vrai que c'est pas pour lui que j'ai dit oui, que c'était pas parce que je voulais le marier lui, que c'était peut-être juste la maladie des Desrosiers qui me prenait à mon tour, le déplacement, l'aventure, l'inconnu, loin, là-bas, où tout va peut-être être mieux… C'était un des rares Anglais qui étaient catholiques, j'aurais même pas besoin de changer de religion… Je sais pas… je sais pas… J'ai même pas hésité avant de prendre le bateau, rien, j'me sus même pas posé de questions malgré tout ce que Teena pis Ernest m'avaient dit, j'ai juste... j'ai juste... C'tait comme sauter dans un mystère, j'sais pas si vous voyez ce que je veux dire, profiter d'une occasion qui reviendrait jamais, prendre une chance, c'est ça, prendre une chance, risquer de tout changer, ailleurs, loin, l'excitation d'aller vérifier si ça marcherait ou non. Le voyage. Tous les Desrosiers ont voyagé en pensant que le bonheur les attendait ailleurs, pis y ont toutes fini par vouloir repartir à l'aventure... On est faites comme ça... C'est fou, hein? Ma passion était pas pour l'homme qui m'emmenait à Londres mais pour la vie qu'y me promettait! C'était une mauvaise raison pour se marier, je le savais, mais j'ai dit oui pareil. Pis je l'ai ben regretté.»

Elle a sorti un mouchoir de son sac.

«C'est pas parce que j'veux pleurer que je sors mon mouchoir, c'est parce qu'y fait chaud...»

Teena a fait un petit sourire triste.

«Y fait déjà moins chaud, Tititte. J'ai laissé s'éteindre la fournaise à charbon parce qu'on s'en allait. T'es trop jeune pour commencer à avoir des chaleurs, non?»

Tititte s'est éventée avec son mouchoir, les joues rouges et la sueur au front.

«Chus la plus vieille, c'est normal que j'sois la première à qui ça arrive...»

Les deux autres se sont regardées. Elles en étaient donc là. Leur aînée commençait déjà sa ménopause... Maria a posé ses mains sur son ventre. Le bébé de la dernière chance... Comme elle allait l'aimer malgré les problèmes qu'il entraînerait.

Tititte a gardé son mouchoir dans sa main.

«Y voulait pas se marier ici – vous comprenez, moi j'avais juste un frère pis une sœur à Montréal, alors que lui avait toute une parenté qui l'attendait à Londres –, ça fait qu'y a pris deux cabines sur le bateau. Un vrai rêve. Le voyage en train jusqu'à New York, la traversée de l'Atlantique, cinq jours à lire sur des chaises longues, à manger pis à jouer au badminton – ben oui, y avait un jeu de badminton sur le bateau, pis même une salle de vues animées –, l'arrivée à Southampton, tout ça… Pis Londres! J'ai trouvé ça tellement beau au commencement, si vous saviez… C'était le début de l'automne, pis les parcs – y en a tellement qu'on peut pas les compter – étaient magnifiques. En tout cas avant que la maudite pluie arrive… Tout le monde dans sa famille avait l'air content que James se marie, vous comprenez, y dépassait trente-cinq ans. On n'a pas fait de voyage de noces parce qu'on arrivait du bout du monde… Vous vous doutez ben que tout ça cachait quequ'chose… Tout était trop beau, y avait… c'tait comme si y avait pas eu assez de problèmes! Qu'y me fasse pas d'avances sur le bateau, je pouvais le comprendre, moi aussi chus catholique, pis je l'aurais pas laissé faire, promesse de mariage ou pas… Excuse-moi, Teena, mais ça a ben l'air que chus plus prude que toi…»

Étonnée que sa sœur l'apostrophe au milieu de sa confession, Teena a sursauté avant de hausser les épaules.

«Quand t'es t'en amour, t'es pus prude, Tititte! Y a pas de religion catholique qui tienne… Tu devais pas être en amour, c'est toute…

— T'as raison. Je suppose que j'étais flattée plus qu'autre chose… en amour avec le voyage…»

Les deux autres ont pensé que cette fois elle allait pleurer parce qu'elle a déplié son mouchoir, ou, du moins, qu'elle allait essuyer la sueur qui lui barrait les joues; non, elle s'est contentée de jouer avec le petit carré de coton, de le triturer entre ses doigts sans le porter à son visage.

«Je sais pas à quoi je m'attendais au juste, j'me trouvais plutôt niaiseuse de pas avoir plus d'expérience, de pas savoir *vraiment* quoi faire avec un homme, mais de toute façon le soir des noces non plus y a pas été entreprenant… Y m'a souhaité bonne nuit après m'avoir embrassée sur le front en me murmurant un *I love you* pas très convaincant.

J'vous dis que ça surprend! J'ai mis ça sur le dos de la timidité, de la réserve, de la fatigue… je sais pas… du respect… Mais les jours pis les semaines ont passé pis y restait toujours de son côté du lit sans avoir l'air de vouloir le traverser… C'est sûr que toutes sortes d'affaires m'ont passé par la tête… D'abord de savoir pourquoi y avait voulu se marier si y voulait pas faire ça avec moi… J'ai même pensé à un moment donné que c'était un *vieux garçon* pour vrai, en fin de compte, pis qu'y m'avait mariée juste pour se cacher… Mais y sortait pas, le soir, y était pas pantoute efféminé, pis y était tellement fin avec moé que je suppose que j'ai choisi de le croire… »

Cette fois, c'est bien une chaleur. Son visage devient tout rouge, elle déboutonne le haut de sa robe, s'évente avec son mouchoir.

« C'est quand ça arrive au magasin que c'est le plus gênant… J'arrive de moins en moins à le cacher… En tout cas, pour en revenir à mon histoire… Les jours commençaient à raccourcir sérieusement, j'avais rien d'autre à faire que de l'attendre, d'y préparer son souper… pis… Vous savez, on parle souvent de la pluie en Angleterre, des jardins qui sont beaux pis du teint des femmes qui est lumineux parce qu'y pleut tout le temps, mais… vous avez pas idée. Londres, c'est une grande ville, y a des millions pis des millions d'habitants, tout le monde chauffe au charbon pis ça fait une espèce de brume jaune sale qui pogne à la gorge, qui étouffe, on cherche notre respir, on court après l'air… Y peut pleuvoir pendant des semaines au grand complet sans qu'on voie une seule petite tache de ciel bleu, ça tombe comme des clous, c'est humide, même les poêles à charbon arrivent pas à tuer l'humidité. Ça vous transperce jusqu'aux os… Les Anglais comprennent pas qu'on aye froid parce qu'on vient du Canada : y savent pas qu'on vient d'un pays où le temps est sec, pis y rient de nous autres en pleine face quand on leur dit qu'on a jamais eu aussi froid qu'à Londres.

J'passais mes journées avec une veste de laine sur le dos, y m'arrivait même de porter mon manteau d'hiver dans la maison tellement j'étais gelée!»

Elle s'est arrêtée pour regarder ses deux sœurs.

«J'me rends compte que je tourne autour du pot, que je dis n'importe quoi pour pas arriver aux choses importantes... Non, c'est pas vrai, je pense que c'est important que vous sachiez dans quel état j'étais... Vous comprenez, j'avais traversé une grande partie du monde pour aller me marier, pis après des mois je l'étais pas encore! Devant l'Église, oui, mais pas dans les faits! J'en étais même arrivée à pus me demander quand c'est qu'y se déciderait, c'est comme si j'avais su qu'y se déciderait jamais! Pis la maudite pluie! La maudite pluie! Pis le maudit *fog*! Y ont rien que ça à la bouche, le *fog*, le maudit *fog*, tout est toujours la faute du *fog*! J'me sus pardue quatre fois dans ma propre rue à cause du maudit *fog*!»

Elle s'est levée, elle a traversé la pièce en coup de vent et ouvert la fenêtre dans un geste brusque.

«Excusez-moé. Faut que je respire.»

Elle a appuyé le front contre la vitre froide, a pris quelques longues respirations en se passant son mouchoir sur le visage.

«Voulez-vous ben me dire comment ça se fait qu'aucune de nous trois a réussi à se trouver un mari qui a du bon sens? Hein? Toutes les femmes de notre âge sont mariées depuis longtemps, y ont des enfants à élever, pis nous autres... Vous deux vous en avez des enfants, c'est vrai, mais vous êtes tu-seules pareil pis on peut pas dire que vous avez l'air ben ben heureuses! Teena a jamais eu de mari, Maria en a eu un, mais d'après c'qu'a' nous dit, c'était pas un cadeau, pis moé...»

Elle est revenue s'asseoir...

«J'continue à dire n'importe quoi... Mais c'est quand même vrai qu'on a pas été chanceuses!»

Elle s'est mouchée, s'est tamponné les yeux.

«Écoutez... Qu'est-ce qu'on fait dans ce temps-là? Hein? Qu'est-ce qu'on fait? J'étais mariée, pis en même temps je l'étais pas! J'avais l'impression d'être la dame de compagnie d'un homme! Au lieu de prendre soin d'une vieille femme, je prenais soin d'un homme jeune! J'me voyais endurer ça pendant des années, enfermée dans mon beau *flat* de Londres, à rien dire pis à me morfondre, à vieillir mariée mais encore vieille fille! Ça fait que j'ai fini par me décider à y parler, à l'affronter, à y demander des explications...»

Elle s'est relevée et s'est mise à faire les cent pas dans le petit salon, chose plutôt difficile vu l'exiguïté de la pièce. Elle allait du sofa à la porte, de la porte à la fenêtre qu'elle avait laissée entrouverte malgré le froid, puis revenait à son fauteuil où elle ne s'assoyait pas.

«Avez-vous déjà entendu parler de ça, vous autre, un homme frigide? Hein? Moi, j'aurais jamais pensé que ça pouvait exister! C'est pas comme ça qu'y m'a dit ça, c'est sûr, y a pas utilisé ce mot-là, y a mis des gants blancs, y s'est pardu dans toutes sortes d'explications compliquées, y a essayé d'attirer ma sympathie, ma pitié, mais c'est ça pareil que ça voulait dire! Y fallait que je tombe sur le seul homme au monde qui aimait pas faire ça! Je méritais pas ça! Y m'a dit qu'y avait toujours été de même, qu'y était attiré par les femmes, qu'y les trouvait belles, excitantes, mais qu'y aimait pas... Qu'y aimait ce qui vient avant, les préparatifs, l'excitation, le cœur qui bat, tout ça, mais rien de ce qui se passe pendant, avez-vous déjà entendu une affaire de même vous autres? Un Européen, en plus! Des femmes frigides, j'en connais des tas, la plupart des femmes que je connais aiment pas ça pis endurent leur mari parce que c'est leur devoir! Mais un homme! À les entendre parler, y en ont jamais assez! Vous pouvez pas imaginer... L'humiliation... J'me sentais...»

Elle s'est rassise tout d'un coup. Un arbre qui s'abat. Elle a appuyé la tête sur le dossier du fauteuil et fermé les yeux.

«… J'me sentais comme la dernière des dernières, c'est comme ça que j'me sentais. La plus laide. La plus insignifiante. La femme la moins attirante du monde. Je savais ben que ça avait rien à voir avec moi, mais… de savoir… de savoir que j'étais pas désirée de mon propre mari, qu'y me traiterait toujours en bibelot, en poupée décorative qu'on pose sur le couvre-pied quand on a fini de faire le lit, que c'était vrai, en fin de compte, que je continuerais à me morfondre dans mon trou, loin de tout ce que je connaissais, de tous ceux que je connaissais, sans espoir de jamais… J'étais pas pour prendre un amant comme dans les romans français, chus pas une cochonne! J'avais quasiment trente ans pis ma vie était finie! C'est peut-être pour ça qu'y m'avait choisie! Parce que je venais de loin pis que je pouvais pas me défendre! Y était obligé de se marier pour sauver les apparences, ça fait qu'y avait choisi une pauvre Canadienne sans ressources! Ben, laissez-moi vous dire qu'y a vu que j'en avais, des ressources! Vous pouvez pas imaginer tout ce que j'ai pu y dire! Les insultes que j'ai pu y sortir, tous les noms dont je l'ai traité! Même celui de tapette même si je savais que c'était pas vrai! En tout cas si je croyais ce qu'y venait de me dire. Y m'a demandé pardon à genoux, y braillait comme une fille, y était tellement pitoyable que j'avais envie de le fesser! J'me demande même si je l'ai pas fait pis si j'ai pas choisi de l'oublier, après… J'étais humiliée pis je l'humiliais, j'vous dis qu'on faisait un beau couple! Ça fait que là, tu-suite, avant qu'y soye trop tard, que je change d'idée parce qu'y faisait trop pitié – c'est ça qu'y essayait de faire, le maudit, m'avoir par la pitié –, j'y ai dit que je demanderais l'annulation de notre mariage… Y m'a suppliée de pas faire ça, y m'a dit que ça tuerait sa réputation, qu'y serait obligé de s'exiler aussi loin qu'en Australie ou qu'en Afrique du Sud pour cacher sa honte, ça fait que j'ai décidé de tout prendre sur moi, de tout me mettre le blâme sur le dos, de dire que tout était de ma faute, qu'on pouvait prétendre que je m'ennuyais trop loin de ma famille, que j'étais malade, que c'était moi qui étais frigide, n'importe quoi, n'importe quoi pour me sortir de là, pour m'en aller de Londres, sortir du *fog*, reprendre le bateau, revenir me réfugier ici, oublier tout ça, en tout cas essayer! Mais... une annulation, ça aurait été public, ça aurait fini par se savoir, y aurait peut-être tout perdu, en tout cas ce qu'y appelait sa fierté d'homme... Imaginez... Un homme comme ça qui parle de fierté! Un homme qui aime gâter sa femme dans tous les domaines excepté le bon!»

Elle s'est relevée, furibonde. Sa rage faisait gonfler les veines de son cou, elle a croisé les bras et s'est pliée en deux comme si elle avait eu une crampe.

«Ça fait que chus toujours mariée!»

Elle est retournée à la fenêtre.

«Avec c't'affaire-là! Pis même pas parce qu'y est catholique comme moi, mais pour sauver sa réputation! Chus sa femme malade qui supportait pas le climat de Londres, qui a été obligée de retourner dans l'air pur de son lointain Canada, pis lui y est le pauvre innocent, la victime d'une femme trop faible pour affronter le maudit *fog* londonien! Vous auriez dû voir la face de ses parents quand on leur a appris qu'on était obligés de se séparer! J'avais l'impression de vivre dans un mélodrame du Théâtre National! Des fois, je trouve ça ridicule ce qui se passe dans ces pièces-là, pis je vivais quequ'chose d'encore plus ridicule!»

Elle s'est retournée, s'est assise sur le bord de la fenêtre. Elle a esquissé un geste qu'elle n'a pas terminé.

«Ça fait du bien d'avoir un peu de frais dans le dos. Même si je risque d'avoir mal aux reins en me levant demain...»

Teena et Maria hésitaient à intervenir. Elles ne savaient pas comment réagir au juste, si leur sœur attendait d'elles des paroles de consolation, d'apaisement, ou si elle préférait finir ses aveux sans être interrompue. Elles l'auraient bien prise dans leurs bras, bercée comme un enfant qui vient de faire un cauchemar, elles lui auraient dit de tout oublier ça, que rien ne l'empêchait de refaire sa vie, que le monde était rempli d'hommes qui ne demanderaient pas mieux que d'avoir une femme comme elle à leur côté, qu'elle était encore jeune, belle, attirante ; elles étaient sur le point de le faire, de traverser le salon, d'aller vers elle, de l'attirer loin de la fenêtre par laquelle un vent trop froid s'engouffrait et risquait de la rendre malade… Elles restaient cependant figées devant le désarroi de Tititte, préférant un silence respectueux à des paroles qui pourraient s'avérer maladroites. Et inutiles.

C'est Tititte elle-même, en fin de compte, qui a rompu le silence.

« Si vous dites un mot de tout ça à notre frère Ernest, j'vous étrangle une après l'autre ! »

Elles ont ri. Parce qu'il fallait bien réagir, faire en sorte que le moteur de la vie reparte, mettre fin à cette parenthèse essentielle mais navrante qui les rapprochait sans toutefois leur fournir les mots de consolation dont elles auraient toutes les trois eu besoin. Sans même se concerter, elles sont reparties vers la cuisine et Teena a préparé un dernier café. Ogilvy et L. N. Messier pouvaient bien attendre encore un peu, les sœurs Desrosiers avaient besoin de se retrouver en communion silencieuse avant de se rejeter tête première dans leurs existences compliquées.

Et c'est bras dessus bras dessous qu'elles ont quitté l'appartement de la rue Fullum.

Elles ont emprunté la rue Mont-Royal jusqu'au magasin L. N. Messier, entre Fabre et Garnier, où Teena a quitté ses deux sœurs pour aller vendre ses souliers. Tititte et Maria ont léché pendant un moment les vitrines où l'on annonçait des draps vénitiens à quarante-trois cents et de la dentelle de Bruges à quatre cents la verge. Puis Tititte s'est tournée vers Maria.

«Ça te tente-tu de marcher? Ogilvy est à l'autre bout de la ville, mais ça te permettrait de te familiariser avec Montréal.

— Ça va prendre combien de temps?

— Une bonne couple d'heures... À moins que t'ayes peur de marcher dans ta condition...

— Non, non, c'est pas ça... J'ai eu le temps de me reposer la nuit passée... Comment j'vas faire pour revenir?

— Tu feras comme hier, tu prendras le petit char!

— Par où on va passer?

— On va prendre Mont-Royal jusqu'à Saint-Laurent, Saint-Laurent jusqu'à Sainte-Catherine, pis là on va tourner à droite jusque chez Ogilvy...

— Chus-tu habillée assez chaudement?

— On va marcher vite, ça réchauffe.»

Elles ont retrouvé cette façon que les sœurs Desrosiers avaient autrefois d'entamer une conversation sans fin et sans but, des questions et des réponses échangées à toute vitesse, plus pour meubler le silence que pour exprimer des choses importantes, un caquetage rassurant qui ne s'achèverait que lorsque le but de leur promenade serait atteint, heureuses d'être ensemble et déjà oublieuses de leurs difficiles confessions exprimées dans la douleur.

Août 1914

Il s'appuie sur le comptoir de marbre et il rit. Longtemps.

Désarçonnée, Rhéauna le regarde en fronçant les sourcils.

«Pourquoi vous riez comme ça?»

Il se redresse, s'essuie les yeux.

«Excuse-moi... Mais pensais-tu vraiment pouvoir emmener trois personnes en Saskatchewan avec sept piasses et onze cennes?»

Elle a pourtant bien choisi son vendeur. En entrant dans la gare Windsor, elle s'est tout de suite dirigée vers le point de vente, un long rang de cages grillagées en marbre et fer forgé qui ressemblaient plus à des caisses de banque – sa mère a un petit compte d'épargne à la caisse Desjardins, s'en trouve très fière et visite la succursale de la rue Sainte-Catherine le plus souvent possible, même en compagnie de Rhéauna qui trouve ces arrêts obligés d'un ennui mortel – qu'à des comptoirs où l'on pouvait acheter des billets de train. Elle a étudié chacun des vendeurs, cherchant le plus sympathique. Elle les a écoutés parler avec des voyageurs pour vérifier lesquels s'exprimaient en français et a fini par jeter son dévolu sur un gros homme jovial qui semblait prendre le temps de conseiller ses clients plutôt que de les servir en vitesse et en silence comme la plupart des autres. Elle a pris place au bout de la queue, plutôt courte – Dieu merci –, étirant le cou et surveillant l'heure.

Elle serait en retard, mais pas trop... Une vieille dame a mis beaucoup de temps à payer son billet – ouvre le sac à main, sort le porte-monnaie, fouille dans le porte-monnaie, sort son argent, referme le porte-monnaie, referme le sac à main, paye le billet; rouvre le sac à main, sort le porte-monnaie, ouvre le porte-monnaie, range la monnaie, referme le porte-monnaie, remet le porte-monnaie dans le sac à main, met le billet dans le sac à main, referme le sac à main – et Rhéauna a montré son impatience en tapant du pied et en soupirant. Puis, au bout de longues minutes, elle s'est retrouvée devant le vendeur de billets qui a froncé les sourcils en l'apercevant.

«T'es tu-seule?

— Oui, c'est ma mère qui m'envoie.»

Premier mensonge. Se sentant rougir, elle a toussé dans son poing.

«Pis qu'est-ce que je peux faire pour toé, ma belle?»

Au moment de le dire, alors qu'elle avait déjà les mots à la bouche, juste comme elle allait lui demander trois billets pour Saskatoon, en Saskatchewan, s'il vous plaît, monsieur, c'est pour ma mère, mon petit frère pis moi – elle avait préparé la phrase depuis son départ de l'appartement de la rue Montcalm –, elle a eu un court moment d'éblouissement. Elle a senti le sang lui monter à la tête, une certaine mollesse dans ses jambes, son cœur s'est mis à battre trop fort, et toute l'absurdité de son entreprise lui est apparue d'un coup. Elle avait tout fait ça pour rien. Elle le savait. Elle l'avait toujours su. Elle avait fait ça pour se rassurer, pour se faire croire que la réunion avec ses deux sœurs était toujours possible, pour ne pas sombrer dans le découragement; elle avait pris comme prétexte le danger de la guerre, plus tard la vie difficile de sa mère, pour poursuivre un rêve impossible et ridicule. Elle avait fait des gestes concrets – casser sa tirelire, mentir à sa mère, traverser la ville à pied – pour se rendre jusqu'ici, dans cette gare, au seuil de la possibilité de départ mais sans les moyens de partir. Elle avait eu quelques éclairs de conscience pendant son voyage à pied, comme devant le Paradise, mais chaque fois elle les avait éloignés, préférant nier l'évidence pour se réfugier dans l'illusion du retour à son ancienne vie. Tout ça parce qu'elle voulait qu'on lui rende sa Saskatchewan. Son bien.

Elle a quand même récité sa phrase, mais avec moins de conviction qu'elle l'aurait voulu.

Et il a ri.

«Tu pourrais même pas payer un billet pour un enfant avec cet argent-là, pauvre toé! Ça coûte cher le train, tu sais!»

Il se penche de nouveau vers elle, appuie les coudes sur le comptoir de marbre, prend un air paternel.

«Pis même si t'avais eu assez d'argent, même si t'avais sorti un gros *bill* de cent, penses-tu que je t'aurais vendu trois billets pour la Saskatchewan? Penses-tu que j'aurais donné trois billets pour la Saskatchewan à une petite fille comme toé? Même si tu dis que c'est ta mère qui t'envoie? J'ai pas le droit! On vend des billets juste à des adultes, pas à des enfants, voyons donc!»

Une idée semble lui effleurer l'esprit et il se redresse dans sa cage.

«Coudonc, toé, t'es-tu sauvée de chez vous? T'es-tu une fugueuse? Hein? T'es-tu sauvée de ta mère en y volant sept piasses et onze dans sa sacoche pour pouvoir prendre le train pour n'importe où, même la Saskatchewan?»

Elle passe encore pour une voleuse!

Elle est convaincue qu'il va donner l'alarme, qu'il va appeler la police, qu'ils vont l'arrêter, la ramener chez elle par la peau du cou, la dénoncer à sa mère, la punir, peut-être la mettre en prison. Elle a envie de pipi, tout à coup, comme chez Dupuis Frères. Il faudrait qu'elle fasse pipi, là, tout de suite, sinon un accident pourrait se produire!

Le vendeur la regarde maintenant avec de gros yeux méchants. Il faut qu'elle parte d'ici, qu'elle trouve des toilettes, il faut qu'elle fasse pipi avant qu'il ne soit trop tard. Elle part en courant, elle l'entend à peine lui demander une fois de plus si elle est une fugueuse, si sa mère sait qu'elle est ici, si elle a volé l'argent... En passant sous la grosse horloge, elle se rend compte qu'il est midi moins quart. Même en prenant le tramway, elle va être *très* en retard. En attendant, il y a plus pressé... Oui, là, *Toilettes – Restrooms*, elle est sauvée. Pour le moment. Elle s'engouffre dans les toilettes en bousculant une vieille dame qui marche à l'aide d'une canne et se réfugie dans une cabine, elle aussi en marbre. Juste à temps. Mon Dieu, juste à temps.

Elle a mis trois heures pour se rendre jusqu'ici, elle est passée à travers *Le Petit Chaperon rouge* et *Alice au pays des merveilles*, elle a terrassé un dragon électrique et vécu un grand amour, elle a rencontré toutes sortes de gens et connu des aventures invraisemblables, et tout s'est réglé en trois minutes! Elle n'a même pas eu le temps de réagir que son rêve s'est brisé en mille morceaux! Elle reste assise assez longtemps, les petites culottes sur les chevilles.

Si au moins elle pouvait pleurer.

* * *

Elle s'est assise sur un banc de bois dans un parc situé en face d'un énorme hôtel qui n'est pas sans lui rappeler le Château Laurier, à Ottawa, là où habite sa grande cousine Ti-Lou, avec sa haute tour d'encoignure, ses fenêtres en ogive, son air de fausse forteresse, et qui s'appelle l'hôtel Windsor.

En sortant de la gare, elle a monté la rue Windsor vers le nord, s'est aperçue qu'il était passé midi et, au lieu d'aller sauter dans le premier tramway qui passerait sur la rue Sainte-Catherine, elle est venue se réfugier ici, au bord de ce beau parc, dans la touffeur de ce début d'après-midi qui ne se décide pas à faire éclater ses orages. L'air est oppressant, difficile à respirer, les nuages sont plus bas et plus noirs que jamais, on sent l'arrivée imminente d'une énorme averse, de trombes d'eau qui vont peut-être rincer et rafraîchir cette journée d'août trop pesante. Ça menace depuis trop longtemps, c'est dur pour les nerfs, il faudrait que ça crève une bonne fois pour toutes!

Elle a posé ses coudes sur ses genoux, s'est appuyé la tête dans les mains pour réfléchir. Que dire à sa mère pour expliquer ce retard? Lui faire un autre mensonge? Inventer une histoire pour expliquer pourquoi elle est partie acheter des fournitures pour l'école et est revenue plus de trois heures plus tard les mains vides? Garder tout ça pour elle? Ou se contenter de se confier à mi-voix à Théo, de se décharger le cœur devant lui, parce qu'elle sait qu'il ne comprendra rien à ce qu'elle lui dira?

Ou bien se sauver encore plus loin, reprendre la rue Sainte-Catherine vers l'ouest jusqu'à ce qu'elle n'en puisse plus de fatigue, jusqu'à ce que quelqu'un se demande ce que cette petite fille en robe rouge fait là, à errer sans but si tard le soir, au milieu de la nuit, au petit matin, jusqu'à ce que la police l'arrête et la ramène en la bousculant à sa mère folle d'inquiétude?

Une vraie fugue?

Non, ça ne lui ressemble pas. Il faudra donc qu'elle affronte la réalité, les conséquences de son aventure absurde, sans toutefois tout avouer à sa mère qui risquerait de perdre confiance en elle.

Elle va se lever pour se diriger vers la rue Sainte-Catherine, un poids à la place du cœur, lorsque la vieille femme qui a mis un temps infini à payer son billet de train vient s'asseoir à côté d'elle sur le banc.

«On dirait que tu as perdu un pain de ta fournée...»

Rhéauna la regarde.

«J'pense que j'ai perdu ma fournée au complet.»

La femme sourit, de toute évidence soulagée de sa réponse.

«Es-tu perdue? Sais-tu au moins où tu te trouves dans la ville?»

Elle parle d'une drôle de façon, avec un accent que Rhéauna n'a jamais entendu qui n'est pas celui des Montréalais ni celui des Français de France, mais un mélange des deux, comme si elle essayait de s'exprimer comme une Européenne tout en continuant de rouler ses r à la façon des habitants de Montréal.

«Ben oui, je le sais oùsque chus, madame. Pis non, chus pas perdue...

— Il me restait deux bonnes heures avant le départ de mon train, alors j'ai décidé de me promener dans la gare... et je t'ai aperçue dans ta belle robe rouge quand tu es sortie des toilettes... Tu as essayé d'acheter un billet de train, n'est-ce pas?»

Cette fois, Rhéauna se lève, prête à partir.

«Chus pas en fugue, si c'est ça que vous pensez!

— Je n'ai pas dit que je croyais que tu étais en fugue, mais j'avoue que j'ai trouvé plutôt bizarre qu'une fillette de ton âge achète un billet de train...

— ... pis vous m'avez suivie!

— Je ne t'ai pas suivie, non. Mais en continuant ma promenade, je t'ai retrouvée ici, prostrée sur ton banc, et je me suis demandé ce que tu faisais... Ce n'est pas tous les jours qu'on trouve une petite fille assise toute seule sur un banc de parc... Est-ce que je pourrais savoir si... si tu as un problème?»

Quelque chose chez cette madame la rassure. Elle ne se sent pas jugée. C'est ça. Cette madame lui pose des questions sans avoir décidé d'avance des réponses qu'elle devrait lui fournir. Sans la juger. Et une telle bonté émane de ses yeux gris pétillants de malice qu'en moins de quelques minutes elle lui dit tout, tout sort parfaitement ordonné, clair, en ordre chronologique et bien exprimé : la Saskatchewan, son retour à Montréal l'année dernière, son petit frère Théo dont elle n'avait pas soupçonné l'existence, sa mère retrouvée après tant d'années et si différente des souvenirs qu'elle gardait d'elle, le danger de la guerre qui les guette tous et qu'elle a voulu leur épargner, sa mère, son petit frère et elle. Elle s'entend parler, elle s'écoute dire à une parfaite étrangère ce qu'elle n'oserait jamais confier à sa propre mère; c'est plus fort qu'elle, ça sort tout seul, avec une étrange facilité et, au fur et à mesure de sa confession improvisée, elle sent monter en elle un immense soulagement, on dirait qu'il pleut sur elle, que les nuages ont enfin crevé, que l'eau du ciel la lave et l'allège. Elle n'a pas envie de pleurer comme lorsqu'on confesse un péché grave, au contraire, si elle ne se retenait pas, elle sauterait sur place en tapant des mains. Comme c'est étrange! Oui, comme c'est étrange de ressentir tant de choses en même temps tout en s'écoutant dire avec un tel bonheur des secrets qu'on aurait pourtant crus inexprimables.

Aussitôt son récit terminé, cependant, son angoisse revient. Elle se rassoit sur le banc de bois.

«J'sais pas quoi dire à ma mère... J'ai peur de la décevoir, pis j'ai peur de me faire punir. Je le sais que je mérite une punition, une grosse à part de ça, mais... vous comprenez, elle a tellement confiance en moi... Que c'est que je devrais faire?»

Elle sait d'avance ce que la vieille madame va lui dire parce que c'est la seule chose à faire.

«Tu devrais tout lui dire. N'aie pas peur. Si c'est une femme qui a du bon sens, elle va comprendre. Est-ce que c'est une femme qui a du bon sens?»

Rhéauna fait signe que oui.

«Voilà ce que tu vas faire... Il est trop tard pour prendre le tramway, là-dessus tu as raison, alors tu vas sauter dans un taxi.

— J'ai jamais pris un taxi tu-seule...

— As-tu déjà pris le tramway toute seule?

— Oui.

— Tu vas voir, ce n'est pas plus compliqué... Regarde, de l'autre côté de la rue, il y en a trois qui attendent devant l'hôtel Windsor... Je vais parler au chauffeur, il va prendre soin de toi... Où habites-tu?

— Sur la rue Montcalm.»

La madame fronce les sourcils.

«Vous savez pas oùsque c'est, hein?»

La madame baisse les yeux, confuse.

«Non, pas vraiment... Je sais que c'est dans l'est de la ville...

— C'est loin dans l'est de la ville. Ça m'a pris pas mal de temps pour marcher jusqu'ici... Vous restez pas dans l'est de la ville, vous, hein?

— Écoute, nous ne sommes pas là pour parler de moi, mais tu as raison, je n'habite pas dans l'est de la ville... As-tu de l'argent? Ah oui, suis-je bête, tu as l'argent des billets de train...

— C'est mon argent à moi, je vous l'ai déjà dit...

— Alors tu vas en sacrifier une partie pour prendre le taxi... Tu vas rentrer chez toi, tu vas tout raconter à ta mère, tu n'auras peut-être même pas à lui demander pardon puisque tu as fait ça avec les meilleures intentions du monde...

— Vous connaissez pas ma mère... Non seulement j'vas être obligée d'y demander pardon, mais j'vas probablement être punie pour un bon bout de temps...

— Aucune mère ne punirait son enfant après une si belle preuve d'amour... Ce que tu as fait là est trop beau pour en être punie...»

Rhéauna l'écoute parler, fascinée. Elle a l'impression de se retrouver dans un roman de la comtesse de Ségur. Cette madame chic s'adresse à elle dans un langage que jusque-là elle n'a trouvé que dans des livres, comme si une marraine bienveillante était sortie des pages des *Malheurs de Sophie* ou une vieille fée d'une histoire fantastique pour venir mettre une fin logique à une aventure absurde qui risquait de tourner en queue de poisson. Et dire qu'elle la trouvait ridicule, plus tôt, quand elle prenait son temps pour payer son billet de train. Qu'est-ce qu'elle aurait fait si cette bonne fée n'était pas intervenue, où se serait-elle dirigée, où aurait-elle abouti? Elle ne le saura jamais et se laisse guider par la main vers les taxis.

La femme parle au chauffeur en anglais après avoir demandé à Rhéauna où était située au juste la rue Montcalm. La seule chose que Rhéauna comprend, c'est que la madame dit au chauffeur de prendre la rue Dorchester, sans doute parce qu'il y a moins de circulation et que ça va aller plus vite...

Elle se penche à la portière de la voiture.

«Tu vas faire tout ce que je t'ai dit?»

Rhéauna n'en est pas certaine, mais elle acquiesce. Après tout, il faut faire plaisir à cette bonne samaritaine inespérée, la rassurer, lui faire croire que tout va aller comme elle le souhaiterait, elle le mérite bien.

«Bonne chance. Et... arrête de penser à la guerre. La guerre ne viendra pas jusqu'ici. C'est leur problème à eux, là-bas... Tu n'es pas en danger. Et ta famille non plus.»

La vieille madame issue d'un livre de la comtesse de Ségur la salue d'une main gantée pendant que le taxi s'éloigne de l'hôtel Windsor en pétaradant. Rhéauna se demande si c'est sa tante Tititte qui lui a vendu ses gants. Et si elle a pris autant de temps pour les payer. Ouvre le sac à main, fouille dans le sac à main, sort le porte-monnaie... Elle ne peut s'empêcher de sourire malgré son angoisse et se dit qu'elle se souviendra de cette femme pour le reste de sa vie. Puis elle se rend compte qu'elle ne l'a même pas remerciée. Elle se retourne. La fée est au même endroit, la main levée, toute frêle tout à coup, on dirait plus petite, comme si elle allait s'évanouir dans l'air, s'évaporer pour réintégrer les pages du livre de contes dont elle s'est échappée.

Rhéauna soupire.

«Merci, madame.»

Juste comme le taxi tourne à gauche pour emprunter la rue Dorchester, le ciel se déchire dans un énorme coup de tonnerre et se met à verser sur Montréal, qui en a bien besoin, des cataractes d'eau tiède qui mouillent tout en quelques secondes. C'est donc à travers un rideau de pluie – encore heureux que le taxi soit une voiture fermée – que Rhéauna retraverse Montréal, cette fois en voiture.

* * *

Lorsqu'elle entre dans l'appartement de la rue Montcalm après s'être dépouillée d'un beau dollar en petites pièces de cinq, dix, et vingt-cinq sous, sans pourboire parce qu'elle ne sait pas que ça existe, elle trouve sa mère assise à la table de la cuisine devant deux assiettes de macaronis qui attendent sans doute depuis un bon bout de temps et qui ont eu le temps de refroidir. Théo doit faire la sieste puisqu'on ne l'entend pas gazouiller dans ce langage que lui seul comprend.

Les sourcils froncés de sa mère, le regard noir qu'elle lui lance pendant qu'elle s'approche de la table et s'installe devant son plat de macaronis lui disent assez dans quel état d'inquiétude et de confusion elle se trouve.

«J'ai trouvé ton cochon en morceaux dans la poubelle. J'pense que t'as des explications à me donner…»

Deuxième prélude
en guise de coda

Août 1913

Montréal était une immense ville, plus longue à traverser que Saskatoon ou Winnipeg, et Rhéauna gardait le nez collé contre la vitre de la fenêtre de la voiture qui les emportait à vive allure, sa mère, son frère et elle, à travers des rues bondées de véhicules de toutes sortes. Elle n'osait pas regarder en direction de sa mère, pas encore. Et celle-ci gardait le silence devant l'air buté de sa fille. En montant dans le taxi, elle s'était contentée de murmurer : « On va parler à la maison. » De temps en temps, le bébé vagissait et Rhéauna sentait son cœur sombrer. Elle se serait bien passée de cette surprise. Elle était venue rejoindre sa mère, pas une nouvelle famille! Un bébé, ça change tout, c'est toujours le centre d'attraction, c'est fatigant, c'est encombrant, il faut toujours s'en occuper, elle s'en souvenait, Alice n'avait pas un an et demi lorsque les trois sœurs Rathier avaient traversé le continent pour la première fois et que Rhéauna avait été obligée de s'occuper de tout pendant le voyage en train. Mais au bout de la ligne s'était trouvée sa grand-mère qui avait tout pris en main dès leur arrivée, tandis qu'ici... Il était évident que sa mère ne s'intéressait pas à elle, qu'elle l'avait fait venir juste pour prendre soin de son petit frère, que ce n'était pas son amour pour elle qui l'avait fait agir mais le besoin... le besoin d'une servante, oui, c'était ça, le besoin d'avoir à portée de la main une servante qui ne coûterait rien et serait obligée de lui obéir.

Elle avait jeté quelques regards à la dérobée en direction de sa mère et du paquet enveloppé dans une couverture bleue d'où sortaient de temps à autre des sons saccadés qui n'étaient même pas des mots. Et pourtant, ce profil... Elle en avait tant rêvé à ce si beau profil... Le nez un peu gros – comme le sien, d'ailleurs – les pommettes hautes, le front si intelligent, les yeux qui parlaient parfois mieux que la bouche, et tous ces cheveux qu'on devinait sous le grand chapeau, sa peau qui sentait si bon quand sa mère sortait du bain en criant à ses filles de sauter dedans parce que l'eau était encore propre et assez chaude. Les rires qui la prenaient sans qu'on les voie venir, même ses colères brusques et presque toujours incompréhensibles parce qu'elle n'en pouvait plus, disait-elle : le mari toujours absent, le travail qui manquait, trois enfants à nourrir... Tout ça suivi sans avertissement de périodes de rires et de chatouillage dans une maison dévastée par des jeux inventés dans l'instant, improvisés pour faire oublier, ou pardonner, les scènes de découragement trop longues et trop brutales. Et sans doute traumatisantes pour les enfants qui ne savent encore rien de la vie. Les histoires sans fin racontées à l'heure du coucher inspirées par quelque chose qui s'appelait *Les mille et une nuits* et que Rhéauna ne connaissait pas encore. Elle avait entendu parler d'Ali Baba pour la première fois, et d'Aladin, elle avait senti le vent du désert, rêvé aux roses des sables qui poussaient sans eau et suivi les récits de Schéhérazade qu'elle appelait Chère Rasade parce qu'elle ne comprenait pas son nom... Et la bonté. La bonté de sa mère qui trouvait toujours le moyen de se tourner de bord, de retomber sur ses pieds, de continuer malgré tout... C'est ça qu'elle voulait retrouver, juste ça, pas avec un bébé en surplus qui allait changer la mise et compliquer leur existence. S'occuper de ses petites sœurs, oui, n'importe quand, elle y était habituée, elle les adorait et était prête à tout pour les garder près d'elle toute la vie s'il le fallait, mais ce... ce paquet de problèmes rempli de caca qu'il faudrait changer des dizaines de fois par jour, elle n'en voulait pas, surtout s'il était la seule raison de sa présence à Montréal!

L'appartement, situé dans une rue où toutes les maisons avaient trois étages, était assez grand et plutôt sympathique; Rhéauna fut cependant déçue de s'apercevoir qu'elle aurait à partager une chambre avec son nouveau petit frère. À Maria, ses deux sœurs et elle couchaient dans la même chambre, c'est vrai, et ce n'était pas toujours facile, mais elle les connaissait, elle avait passé sa vie avec elles, tandis qu'elle ne savait rien de ce tas de guenilles dont elle n'avait vu que le visage, dans le taxi, et encore, presque à la dérobée, parce que Maria ne voulait pas qu'il attrape froid malgré la chaleur à cause de l'air qui s'engouffrait dans la voiture...

Aussitôt l'appartement visité – les deux chambres, le salon, l'immense cuisine, la salle de bains, elle aussi impressionnante –, Maria avait déposé Théo dans son lit et l'avait déshabillé comme on développe un bonbon, avec mille précautions et un air de gourmandise peint sur le visage. Il gigotait en gazouillant, Rhéauna pouvait le voir à travers les barreaux du lit à hauts montants. Elle avait décidé de ne pas se laisser toucher par ce beau tableau et boudait presque, assise sur ce qui allait désormais être son lit, les bras bien croisés sur la poitrine.

La couche changée, les fesses poudrées, Maria s'était enfin tournée vers sa fille.

«Viens ici, j'ai quequ'chose d'important à te dire...»

Rhéauna s'était approchée un peu à contrecœur, croyant que sa mère allait lui faire l'éloge de Théo. Mais Maria s'était agenouillée à côté du lit, avait pris sa fille par la taille et lui avait parlé avec une grande douceur, en la serrant contre elle.

«J'vas te dire les choses comme y sont. D'abord, que tu pourras jamais t'imaginer à quel point j'me sus t'ennuyée de vous autres. Une mère séparée de ses enfants, c'est une femme morte, Nana! Si j'ai fait ça, tu le sais, si je vous ai envoyées vivre là-bas, c'est parce que je pouvais pas faire autrement. Je pouvais pas faire autrement, Nana, j'espère que tu le sais, pis que tu me crois... C'était pour votre bien, pour que vous ayez une enfance normale, parce que moi j'aurais pas été capable de vous la fournir... Mais ça, tu le sais, pis tu l'as toujours compris parce que t'es une fille intelligente...»

Elle avait hésité quelques secondes avant de continuer. Elle avait appuyé sa tête sur l'épaule de Rhéauna qui avait senti l'odeur de ses cheveux pour la première fois depuis cinq ans, et avait failli éclater en sanglots. Mon Dieu! Elle l'avait oubliée. Cette odeur-là, elle l'avait oubliée! Pas les autres, pas le parfum que Maria portait pour sortir, le samedi soir, et qui s'attachait à ses vêtements, ni l'odeur piquante de sa sueur pendant la canicule qui tombait sur Providence chaque année, mais ça, oui, les cheveux frais lavés, l'arôme piquant du shampoing qui sentait le bon savon, ça lui revenait d'un coup, ça lui donnait envie de se jeter au cou de sa mère et de brailler pendant des heures.

«Y faut que tu saches aussi que j'me sus trouvé une job depuis pas longtemps, une job de soir. Je travaille de sept heures à passé minuit, ce qui fait que j'ai été obligée de trouver quelqu'un pour garder Théo... pis que ça coûte cher.»

Rhéauna s'était raidie dans ses bras; Maria avait resserré son étreinte.

«Y faut que tu m'écoutes jusqu'au boute, Nana... C'est vrai, je sens que tu l'as deviné, que je t'ai fait venir pour prendre soin de ton petit frère... Mais va pas penser que c'est juste pour ça, que je m'ennuyais pas, que je voulais pas vous voir, toi pis tes sœurs. C'est juste... c'est juste que j'ai trouvé cette façon-là pour vous faire revenir... Toi, d'abord, pour m'aider... Pour m'aider avec Théo pis préparer la venue de tes deux sœurs... Quand j'vas avoir fini de parler, Nana, tu vas me parler d'eux autres, toi, tu vas tout me dire, de quoi y ont l'air, quel genre de petites filles c'est, si Béa mange autant qu'avant, si *toi* tu manges autant, aussi... J'veux tout savoir de vous autres, mais là... Écoute... L'école commence la semaine prochaine, j'ai fait ton inscription dans un beau couvent qui s'appelle l'Académie Garneau qui est tenu par des sœurs qui sont sévères mais qui donnent une bonne éducation... Tu vas apprendre plein d'affaires que t'aurais pas appris en Saskatchewan, tu vas devenir une petite fille savante, tu vas voir, pis quand tes sœurs vont arriver, y te reconnaîtront pus... Pis... le soir, quand j'vas partir pour travailler, tu vas prendre soin de lui. T'es t'assez grande, grand-moman m'a dit que t'étais t'assez sérieuse, assez responsable... Tu vas voir, y est pas tannant pour deux cennes... Y dort après ses boires, y sourit tout le temps, y est tranquille, pis si jamais y fait pas ses nuits, j'vas m'en occuper, tu resteras couchée parce que tu vas avoir à aller à l'école... Pis l'année prochaine, l'été prochain, quand l'école va être finie... on va faire venir tes petites sœurs. T'aimerais-tu ça? Y vont faire le même voyage que toi. Y vont venir te rejoindre à Montréal. On va être heureux tout le monde ensemble, tu vas voir... On va déménager dans une maison plus grande, Alice pis Béa vont aller à la même école que toi, vous allez continuer à prendre soin de Théo... Dis-moi que tu comprends, dis-moi que t'es contente d'être ici, dis-moi que tu vas être heureuse avec moi pis Théo, j'ai besoin de te l'entendre dire, Nana, j'ai besoin de savoir que tu seras pas malheureuse longtemps, parce que je le sais que t'es malheureuse, je le vois dans ton visage, pis je le comprends, j't'ai coupée de tout ce que tu connais, j'te demande un grand sacrifice, je le sais que j'te demande un grand sacrifice, mais dis-moi que tu m'en voudras pas longtemps. J'avais pas le choix, Nana, j'avais pas le choix!»

Rhéauna s'était tournée et l'avait regardée droit dans les yeux. Et ce qui était alors passé entre elles n'était qu'incompréhension.

Key West, 21 janvier – 13 avril 2008

En préparation :
LA TRAVERSÉE DES SENTIMENTS

Un grand merci à Jean-Claude Pepin
dont les recherches sur Montréal
entre 1912 et 1914
m'ont été des plus utiles.

M. T.

TABLE

PRÉLUDE
Providence, Rhode Island – octobre 1912 15

DOUBLE FUGUE
Montréal, août 1914 39
Montréal, octobre 1912 63
Août 1914 85
Octobre 1912 111
Août 1914 125
Octobre 1912 149
Août 1914 161
Octobre 1912 173
Août 1914 191

DEUXIÈME PRÉLUDE EN GUISE DE CODA
Août 1913 203

OUVRAGE RÉALISÉ PAR
LUC JACQUES, TYPOGRAPHE
ACHEVÉ D'IMPRIMER
EN OCTOBRE 2008
SUR LES PRESSES
DES IMPRIMERIES TRANSCONTINENTAL
POUR LE COMPTE DE
LEMÉAC ÉDITEUR, MONTRÉAL

DÉPÔT LÉGAL
1re ÉDITION : 4e TRIMESTRE 2008
(ÉD. 01 / IMP. 01)
Imprimé au Canada